ISTITUTO ITALIANO PER GLI STUDI FILOSOFICI

Lezioni della Scuola di Studi Superiori in Napoli

9

ADRIAAN PEPERZAK

Autoconoscenza dell'assoluto

Lineamenti della filosofia dello spirito hegeliana

BIBLIOPOLIS

ISBN 88-7088-168-7

INDICE

PREMESSA

I cinque capitoli sulla filosofia dello spirito di Hegel, che vengono qui pubblicati, contengono il materiale esposto in un seminario organizzato dall'Istituto Italiano per gli Studi Filosofici in Napoli dal 21 al 26 maggio 1984. Ringrazio il fondatore e presidente dell'Istituto, avv. Gerardo Marotta, che mi ha invitato a tenere queste lezioni e mi ha accolto con cordialissima ospitalità italiana, ed il suo instancabile segretario, dott. Antonio Gargano, sempre presente con le sue amichevoli cure. Un ringraziamento particolare va anche all'amico, prof. Valerio Verra, che mi ha presentato e ha presieduto varie sedute del seminario e al prof. Tullio Gregory, direttore della Scuola di Studi Superiori. La benevolenza e l'intelligenza dei partecipanti, pieni di *pathos* filosofico, hanno trasformato in una grande gioia l'opportunità che mi si presentava di spiegare alcune parti del pensiero di Hegel. La revisione del testo da me redatto in lingua tedesca è stata fatta dal dr. Paul Sars e la traduzione italiana dalla dott. Francesca Menegoni, già conosciuta per i suoi eccellenti studi sulla filosofia hegeliana. Entrambi hanno lavorato con ammirevole competenza e con la più amichevole dedizione: anche a loro sono perciò molto grato.

Adriaan Peperzak

Napoli-Capri-Nijmegen
Maggio 1984 - Agosto 1986

INTRODUZIONE

La filosofia dello spirito è per Hegel l'intero della filosofia. Si potrebbe dunque conseguirne una comprensione radicale solo attraverso un commento compiuto al sistema hegeliano. Ovviamente ciò non si può rendere in sei lezioni o in cinque capitoli. Per questo motivo dobbiamo limitarci qui ad una scelta di alcuni temi che, come chiavi interpretative e punti nodali, esprimono l'orizzonte, il nocciolo e l'articolazione della filosofia dello spirito hegeliana. Per questo scopo ho scelto i seguenti temi:

I. *Il concetto di « spirito »*
II. *L'unità di intelligenza e volontà nella psicologia hegeliana*
III. *La relazione tra spirito soggettivo, oggettivo e assoluto*
IV. *Lo spirito assoluto: religione e filosofia*

Ricapitolazioni globali dei punti di vista hegeliani ci gioverebbero poco. Esse avrebbero da offrirci, in modo del tutto contrario alle rivendicazioni metodologiche proprie di Hegel, solo tesi senza dimostrazioni, cioè niente di più che uno « zibaldone » di opinioni. Se vogliamo comprendere le dimostrazioni di Hegel — e di questo certo si tratta, poiché la vera conoscenza è la conoscenza della verità nella sua necessità — allora dobbiamo analizzare e ricostruire passo dopo passo le deduzioni da lui compiute nei testi accuratamente

11

redatti. Per questo motivo i quattro temi citati devono essere studiati in base ai testi hegeliani più appropriati.

Quali testi sono da prendere qui in considerazione? Gli appunti alle sue lezioni sono da considerare il meno possibile, non solo perché non sono stati scritti dallo stesso Hegel, ma anche perché non si può identificare il pensiero di un pensatore con l'esposizione orale e spesso improvvisata di una lezione. Anche i manoscritti delle lezioni e le postille non hanno la medesima importanza dei libri pubblicati dallo stesso Hegel.

Per la filosofia dello spirito sono in questione perciò prima di tutto l'*Enciclopedia* e la *Fenomenologia dello spirito* e, in una certa misura, anche la *Logica* e i *Lineamenti di filosofia del diritto*. Però solo l'*Enciclopedia* fornisce un'esposizione dell'intera filosofia dello spirito come tale. Perciò, per il nostro intento, è il testo adatto.

Dopo la riscoperta della *Fenomenologia dello spirito* e l'accrescersi della letteratura sugli scritti giovanili hegeliani, i tre grandi libri dello Hegel più maturo sono ora di nuovo al centro degli studi hegeliani. Ci sono però ancora specialisti che considerano l'*Enciclopedia delle scienze filosofiche* — o nella sua prima stesura di Heidelberg (1817), o nelle stesure berlinesi (1827 e 1830) — come un manuale privo di scientificità a causa del suo carattere di compendio, un manuale che procede più per tesi che per argomentazioni e perciò è inferiore, quanto a capacità dimostrativa, alla *Fenomenologia dello spirito* e alla *Logica* — e perfino ai *Lineamenti*, che del resto Hegel ha presentato egualmente sotto forma di compendio. Probabilmente ci sono pochi esperti hegeliani che preferiscono le lezioni di Hegel all'esposizione dell'*Enciclopedia*, ma ciascuno concederà che l'ampiezza delle lezioni, molto maggiore, può essere per noi un aiuto importante per meglio comprendere il pensiero di Hegel sulle materie da lui trattate. L'opinione che le lezioni abbiano una maggiore forza dimostrativa rispetto all'*Enciclopedia*, deve essere in parte messa

12

in dubbio, in parte addirittura negata. Non necessariamente ampiezza — per lo meno nelle esposizioni orali — è sinonimo di maggior rigore. Talvolta Hegel nelle sue esposizioni, come anche nelle postille alle lezioni non pubblicate da lui stesso, cerca di modificare le argomentazioni presentate nelle sue pubblicazioni. Se questo sembra essere un indizio del fatto che egli non era in seguito soddisfatto della versione pubblicata, certo dopo la stesura dell'*Enciclopedia* (Berlino 1830), pubblicata per ultima, non ha potuto mutare molte cose sia oralmente sia per scritto rispetto all'esposizione ivi contenuta. Questo non vuol dire che l'ultima edizione dell'*Enciclopedia* sia da considerare come una sorta di dogmatica sacrosanta, ma certo sembra essere per lo meno quel testo che lo stesso Hegel ha considerato come il più riuscito.

Il fatto che durante tutta la sua esistenza Hegel abbia lottato con il contenuto della sua riflessione si può documentare non solo mediante diverse sue asserzioni (per esempio per mezzo della *Prefazione* del 1831 alla seconda edizione della *Logica*), ma anche mediante le aggiunte apportate da parte degli amici alla *Filosofia del diritto* e all'*Enciclopedia*. Nelle aggiunte all'*Enciclopedia*, pubblicate da loro, aggiunte che per lo più — o forse sempre — derivano dalle lezioni sulla prima stesura dell'*Enciclopedia* (1817), si trovano spesso introduzioni ed argomentazioni, che non si accordano con quelle della seconda (Berlino 1827) e dell'ultima stesura (1830). Certo il più delle volte si tratta di un dettaglio, che non cambia radicalmente l'esposizione del tutto, ma ci sono tuttavia alcuni passi molto importanti (per esempio all'inizio e alla fine della psicologia e nell'ultimo capitolo sullo spirito assoluto), ai quali Hegel ha apportato modificazioni fondamentali [1].

---

[1] Le citazioni sono prese dalle seguenti edizioni dell'*Enciclopedia*: *Enzyklopädie der philosophischen Wissenschaften im Grundrisse* (1830), neu herausgegeben von F. Nicolin und O. Pöggeler, Hamburg, Meiner 1959; *Enzyklopädie der philosophischen Wissenschaften im Grundrisse*,

Per ciò che riguarda la questione decisiva, cioè se l'*Enciclopedia* non formuli semplicemente solo concetti, partizioni e tesi — in contrasto con le esigenze avanzate da Hegel ripetute volte — ma produca anche quelle dimostrazioni che è lecito attendersi da un'opera scientifica, abbiamo la testimonianza dello stesso Hegel, che dobbiamo mettere alla prova nel testo dell'*Enciclopedia*.

All'inizio della prefazione alla prima edizione Hegel scrive che « la natura di un compendio » delimita non solo il contenuto, ma anche la forma sistematica, nella misura in cui le implicazioni metodiche, senza cui una filosofia scientifica ormai non è possibile, non possono essere presentate in tutta la loro ampiezza [2]. Sembra che la limitazione consista particolarmente nel fatto che viene tralasciato molto di ciò che « è più vicino alla rappresentazione e alla conoscenza empirica », e non in un'assenza delle mediazioni concettuali, per mezzo delle quali sono mediati i diversi passaggi. L'esposizione « della necessità del concetto » viene sì limitata al più essenziale [3] (ma — aggiungiamo noi — è sempre difficile decidere dove stia il confine tra ciò che è essenziale e ciò che è inessenziale), ma se questa necessità non fosse stata affatto esposta, l'edizione dell'*Enciclopedia* non avrebbe avuto assolutamente alcun significato, poiché il suo testo avrebbe contenuto nella fattispecie solo rappresentazioni, un pensare intellettualistico e opinioni, il contrario dunque di un pensiero filosofico.

Nella prefazione alla seconda edizione (1827) Hegel de-

zweite Aufgabe, Heidelberg, A. Oswald 1827; per la prima edizione (Heidelberg 1817) mi servo della riedizione di H. Glockner in *Sämtliche Werke* VI, pp. 1-130. Quando vengono consultate più edizioni, le distinguo mediante le lettere A (Heidelberg 1817), B (Heidelberg 1827) e C (Heidelberg 1830). Numeri di paragrafo o di pagina senza lettera si riferiscono sempre alla terza edizione.

[2] *Enc.*, p. 20.
[3] *Ivi*, p. 21.

finisce « formale » la maniera in cui aveva proceduto nella prima edizione [4]. Nella nuova edizione egli ha cercato « di mitigare e diminuire l'elemento formale della trattazione » e « di avvicinare mediante annotazioni essoteriche più minuziose i concetti astratti alla comprensione comune e alle rappresentazioni più concrete dei medesimi ». Anche qui la natura di compendio richiede una « concisione », a causa della quale sono d'altra parte indispensabili chiarimenti per mezzo di un'esposizione orale. Hegel respinge l'ipotesi secondo cui la brevità dovrebbe portare inevitabilmente ad un modo di procedere non scientifico, scrivendo: « Il titolo di una Enciclopedia dovrebbe certo lasciar spazio inizialmente a un minor rigore del metodo scientifico e ad una composizione esteriore » (quando Hegel cominciò a scrivere il testo, pensava dunque, a dire il vero, che dovesse essere meno scientifico ad esempio della *Logica*), « però la natura della cosa comporta che la connessione logica debba necessariamente rimanere il fondamento » (il testo non poteva dunque sottrarsi al doversi sviluppare secondo il metodo della logica e cioè in modo rigoroso e scientifico).

Nella prefazione alla terza edizione (1830) Hegel dice in modo ancora più inequivocabile che l'opera, che era stata nuovamente migliorata in più parti, era stata meditata per molti anni ed elaborata con tutta la serietà richiesta dall'oggetto e dall'esigenza di scientificità. Ma questo non è in contraddizione con lo stile tenuto, « conciso, formale ed astratto », uno stile che è richiesto « dal fine compendioso del trattato » e che deve « ricevere le spiegazioni necessarie per mezzo dell'esposizione orale » [5].

Prendendo in esame le argomentazioni dell'*Enciclopedia* vedremo che in esse si cerca sempre di dimostrare la necessità del processo del pensiero. Si deve tuttavia fare attenzione al

[4] *Ivi*, p. 3.
[5] *Ivi*, p. 23.

fatto che l'argomentazione specifica si trovi non nelle annotazioni aggiunte da Hegel, ma solo nel testo principale dei paragrafi che si susseguono l'un l'altro. Come avviene anche nel caso dei *Lineamenti di filosofia del diritto*, le annotazioni dell'*Enciclopedia* spiegano determinate espressioni impiegate nei paragrafi o prendono posizione nei confronti di discussioni a cui Hegel ha solo accennato nei paragrafi; talvolta applicano a problemi attuali il ragionamento là sviluppato; spesso polemizzano contro altre concezioni. Sebbene talora spieghino il pensiero di Hegel, non si può mescolare il loro contenuto con il ragionamento rigoroso del testo principale, qualora si voglia conseguire una chiara intelligenza del procedimento del pensiero hegeliano.

Nelle aggiunte troviamo, oltre ad una grande quantità di annotazioni affini, anche altre formulazioni per lo più maggiormente dettagliate dell'argomentazione, che i paragrafi contengono « in concisione serrata », ma non incompleta. Qualora le argomentazioni delle aggiunte concordino con quelle del testo stampato, ci sono d'aiuto per la comprensione di queste ultime: se si differenziano da queste, appartengono ad una precedente stesura — per lo più sono spiegazioni della prima edizione (1817) —, che Hegel ha sostituito per mezzo della stesura stampata per ultima[6].

[6] In questo commento utilizzerò le aggiunte (*Zusätze*) all'*Enciclopedia* solo con parsimonia. Su questo problema, e cioè fino a che punto le *Lezioni* di Hegel e le aggiunte offrano un aiuto utile o rispettivamente necessario per l'interpretazione, D. LOSURDO ha scritto qualcosa che merita di essere letto nel suo saggio *Hegel: Grande Enciclopedia, piccola Logica e 'Zusätze'*, « Il Pensiero », 23 (1982), pp. 123-139. Senza voler sminuire il loro significato per una corretta interpretazione e per la storia dell'influenza della filosofia hegeliana, vorrei tuttavia invitare ad una grande cautela nel loro impiego per i seguenti argomenti:

1) una pubblicazione autorizzata è quasi sempre di qualità superiore rispetto ai pensieri di un filosofo esposti oralmente e non scritti per esteso. Nel caso di Hegel sappiamo che egli per lo più improvvisava

Alcune analisi dell'*Enciclopedia* si limitano ad una parafrasi delle concezioni contenute nell'insieme di paragrafi, annotazioni e aggiunte; solo poche cercano di attuare una precisa ricostruzione della necessità logica che domina il pensiero hegeliano dal concetto dell'essere al sapere dello spirito assoluto. Secondo l'intenzione di Hegel — e se vogliamo esserne eredi legittimi — si tratta di far risaltare nel suo testo la rigorosa coerenza e la necessità che egli persegue. Dobbiamo allora cercare di ricavare il nesso concettuale di ogni suo passo

le sue lezioni sulla base di appunti molto frammentari. Ha invece formulato e rivisto con la maggior accuratezza i paragrafi e le annotazioni dell'*Enciclopedia*, specialmente quelli delle ultime due edizioni. Della terza edizione si può dire a buon diritto che essa è la formulazione definitiva del suo sistema, approvata come tale dallo stesso Hegel. Ma quale professore universitario sarebbe d'accordo che lo si identificasse con tutte le frasi pronunciate durante la lezione?

2) se la conoscenza filosofica implica sempre un concepire (cfr. Losurdo, p. 139), la *dimostrazione* (cioè la responsabilità razionale, tanto quella dell'intelletto, quanto quella della ragione) è per i pensieri esposti un momento indispensabile di ogni filosofia che meriti questo nome. In ogni caso per Hegel la responsabilità concettuale (che egli designa anche come dimostrazione o « deduzione ») è la cosa più importante ed il vero nocciolo del pensiero filosofico. Nei testi pubblicati Hegel ha talvolta modificato un'argomentazione presentata in un momento precedente; ma questo avvenne a Berlino meno spesso che a Jena o Norimberga. Talvolta nelle postille o nelle lezioni egli ha cercato di migliorare una dimostrazione che non gli piaceva; da ciò possiamo dunque dedurre che egli ha fissato per iscritto nelle pubblicazioni più tarde la dimostrazione migliore che egli ha trovato nel corso del tempo. Uno studio delle tre stesure dell'*Enciclopedia*, che qui non può essere intrapreso, mostra come in alcuni luoghi del suo sistema Hegel ha cercato fino alla fine di fornire una soluzione migliore, ma è inverosimile che le *Lezioni*, che precedono la terza edizione dell'*Enciclopedia*, contengano argomentazioni migliori rispetto al testo definitivo. Tuttavia esse offrono spesso un'esposizione più ampia dei medesimi pensieri; in questo caso sono ricche di aiuto per l'analisi di espressioni concise ed intricate dell'*Enciclopedia*;

3) quasi sempre le aggiunte sono interpretazioni dei paragrafi della *prima* edizione dell'*Enciclopedia* (1817). Se il loro ragionamento

17

a partire dalle proposizioni astratte, formali e astruse di questo libro. L'esperienza che verremo facendo durante questa ricerca ci mostrerà se sia necessario entrare più nel dettaglio per concepire il senso e la struttura del sistema esposto.

Solo alcune parole sulla relazione tra l'*Enciclopedia* e la *Fenomenologia dello spirito* del 1807 da un lato e la « grande » *Logica* dall'altro. L'*Enciclopedia* — e nessun altro libro di Hegel — si presenta al lettore come l'opera in cui è contenuto l'intero sistema dell'essere e del pensare. Per un certo verso, tuttavia, anche gli altri due testi sopracitati contengono l'intero. Se la verità si dà solo *nell'intero* della verità, si deve concludere che ciascuna di queste tre opere costituisce la compiuta verità. Secondo Hegel perfino ogni concetto compiutamente compreso racchiude in sé la verità dell'intero, poiché egli afferma anche che nessuna singola proposizione o ragionamento, il quale non sia compreso *in quanto* momento dell'intero della verità e *in* questo intero, è vero. Ma le prospettive, a partire dalle quali la *Fenomenologia* e la *Logica* intendono l'universo della verità, non costituiscono esse stesse le prospettive universali e realmente comprensive, ma sono « solo » un momento della prospettiva enciclopedica. Esse pensano l'intero della verità da una particolare prospettiva. Sulla relazione dell'*Enciclopedia* alla prospettiva fenomenologica e logica si discuterà ancora brevemente nelle pagine seguenti. Soprattutto la relazione alla *Logica* è molto impor-

non si accorda con il testo delle due edizioni più tarde, non possono essere valide come interpretazioni di questi testi, ma rappresentano nell'evoluzione del pensiero hegeliano uno stadio superato;

4) se è giusto il fatto che lo stesso Hegel — come afferma Losurdo, p. 124 sgg. — ha più o meno autorizzato appunti alle sue lezioni, in quanto egli le spedì o le fece spedire a Cousin, Van Ghert e altri come riproduzione soddisfacente, non è provato con ciò che egli le abbia proprio esaminate ed approvate fin nel dettaglio;

5) la maggior parte delle aggiunte sono utili nella misura in cui ci aiutano a comprendere meglio l'opinione di Hegel, ma molte aggiunte offrono solo questo e nessuna argomentazione.

tante e discutibile. Anche della prospettiva enciclopedica Hegel mostra che essa, sotto un certo riguardo, è ancora limitata e particolare, come viene messo in evidenza nell'analisi del sapere assoluto. Ma la particolarità è essenziale per ogni libro e perfino per ogni parola che viene scritta o pronunciata. Infatti la comprensione del comprendere non è un libro, ma un conoscere infinito ed eterno, che appare soltanto in un pensiero finito dell'intero.

Dalle considerazioni che precedono risulta che una ricostruzione dei fondamenti della filosofia dello spirito hegeliana è possibile solo nella forma di un'analisi precisa di tutti quei paragrafi in cui Hegel espone il concetto dello spirito e la sua realizzazione. Commentare letteralmente il testo e far emergere la sua struttura logica sono entrambi presupposti per una ricostruzione fedele del ragionamento hegeliano. L'aver dovuto necessariamente scegliere dei paragrafi, lascia da parte passi essenziali, specialmente in rapporto ai principi che vengono fondati nella logica dell'*Enciclopedia* e nella « grande » *Logica*, ma spero che questa mancanza di completezza non nasconderà l'essenziale della deduzione.

Un confronto fra le tre edizioni dell'*Enciclopedia* e un confronto di queste con i ragionamenti svolti nelle lezioni potrebbero in alcuni casi essere ricchi di chiarimenti non solo per uno studio genetico del pensiero hegeliano, ma anche per farne risaltare la ricerca, i tentativi e le oscillazioni. Una domanda, che si potrebbe a questo proposito imporre, è la domanda relativa alla logica di fatto praticata, mediante la quale vengono condotte le argomentazioni hegeliane, come pure potrebbe imporsi la domanda sulla relazione di questa logica alla logica sviluppata da Hegel nella *Logica* propriamente detta. Per i limiti di questo studio non si può accedere a queste e a simili questioni. Il commento che segue si baserà quasi esclusivamente sul testo della terza edizione dell'*Enciclopedia* e presupporrà molti elementi della logica tematizzata nella sua prima parte.

Capitolo I

IL CONCETTO DELLO SPIRITO

La filosofia dello spirito costituisce una totalità, il cui inizio e la cui fine sono identici. Il *concetto* dello spirito (§ 381), con cui essa inizia, si sviluppa o si realizza in un processo che finisce con la compiuta « realtà » (§ 553), con la « pienezza » o con l'« idea che è in sé e per sé » dello spirito (§ 577). Il concetto dello spirito contiene dunque l'intera verità dello spirito, ma poiché esso sta all'inizio, questo intero è pensato qui ancora semplicemente in un modo astratto ed immediato. Se questo concetto astratto o formale viene inteso o « definito » correttamente, la filosofia dello spirito può limitarsi a sviluppare e sintetizzare tutti gli elementi che sono contenuti nel concetto.

1. LA STRUTTURA DEI §§ 377-386

Un confronto della seconda (B) e della terza (C) edizione da un lato (BC. 377-386) con la prima edizione (A) dall'altro (A. 299-306) mostra che i paragrafi 377-380 (che in B e C sono identici) sono stati aggiunti solo nella seconda edizione. Sono inseriti come introduzione alla filosofia dello spirito tra gli ultimi paragrafi della filosofia della natura (A. 298; BC. 376) e la determinazione del concetto dello spirito, con

21

cui inizia in A. 299 (BC. 381) la filosofia dello spirito. Il loro testo è una nuova redazione di un manoscritto che Hegel ha composto, con tutta probabilità, come inizio di un libro sulla filosofia dello spirito soggettivo [1]. La lettura di questo frammento, come pure la sua nuova redazione in BC. 377-380, fa capire subito che qui non si tratta di un'introduzione generale e scientifica all'intero della filosofia dello spirito, ma di un'introduzione didattica e scientifica solo in un senso molto ampio a quella parte della filosofia che nella metafisica tradizionale si chiama « psicologia », mentre nel sistema hegeliano si chiama « filosofia dello spirito soggettivo ».

Per comprendere la determinazione del concetto dello spirito, bisogna leggerne la « definizione » ricordata in A. 299 e BC. 381, collegandola con gli ultimi paragrafi (A. 298; BC. 376) della filosofia della natura e lasciando da parte per il momento i paragrafi BC. 377-380.

Lo schema dell'*Introduzione* (BC. 377-386), così come Hegel lo ha presentato nella seconda e nella terza edizione, è il seguente:

377-380: Osservazioni introduttive sull'essenza e sul metodo della filosofia dello spirito soggettivo (manca in A.).
381-384: « Concetto dello spirito » (corrisponde ad A. 299 302).
386-386: « Divisione » (corrisponde ad A. 303-304).

In questo schema si riconosce subito il procedimento dei manuali tradizionali della scuola wolffiana: *Introductio - Definitio - Divisio.*

Cominciamo con la « definizione » hegeliana dello spirito.

---

[1] Cfr. F NICOLIN, *Ein Hegelsches Fragment zur Philosophie des Geistes*, « Hegel-Studien », 1 (1961), pp. 9-48 ed il saggio « *Ken uzelf!* » *of Wat is de filosofie van de geest?*, « Tijdschrift voor Filosofie », 42 (1980), pp. 720-770, in cui ho confrontato *Enc.* BC. 377 con questo frammento e con le aggiunte parallele nell'edizione degli amici.

2. IL CONCETTO DELLO SPIRITO (§ 381)

a) *Natura e spirito*

La « definizione », con cui Hegel inizia la sua filosofia dello spirito, è come sempre il risultato della parte precedente della sua filosofia. Il concetto dello spirito è il risultato necessario della parte costituita da logica e filosofia della natura. L'intero della filosofia della natura, la quale procede dalla logica ed è da questa dominata dall'inizio alla fine, è la preparazione e in un certo senso la deduzione dello spirito. La natura, poiché è natura, deve lasciare uscire da sé lo spirito. Essa non può fare ciò con le proprie forze, a prescindere dallo spirito che in essa è operante. Il materialismo crede a torto che la natura priva di spirito (cioè l'« esteriorità », *das « Außereinander »*, della materia) possa produrre realtà spirituali. Tuttavia la vera destinazione della natura, la meta a cui la conduce lo spirito, che è nascostamente operante in essa, oltrepassa la natura. La natura esiste per lo spirito, perché questo possa realizzarsi in essa.

Il risultato o il compimento di uno sviluppo concettuale è sempre per Hegel, come nella teleologia aristotelica, il vero fondamento (ἀρχή), da cui quello sviluppo viene dominato. Il compimento è il vero inizio[2], sebbene esso sia un inizio *nascosto* per il pensiero che comincia. Nella misura in cui lo spirito è pensabile come inizio ancora privo di natura, precedente la natura, esso si chiama « idea », ed è tematizzato come ricapitolazione e compimento della logica (§§ 213, 236 - 244). Il fatto che lo spirito non possa esistere senza natura, è una verità che appare nella riflessione come un presupporre. Questo presupporre viene tematizzato nella logica come un sorgere della natura, un sorgere che procede dall'idea.

---

[2] Cfr. ARISTOTELE, *Ethic. Eud.*, 1227 b 32-33 e *Ethic. Nicomach.*, 1112 b 23-24.

Nel § 215 si dice che l'idea è essenzialmente processo. Come identità del concetto soggettivo e dell'oggettività (cfr. § 213) è l'idea stessa che deve farsi oggetto esteriore e, senza cessare con ciò di essere presso se stessa, riconduce la sua propria esteriorità alla sua soggettività. Questo processo dell'oggettivazione esteriorizzante e del ritornare in sé interiorizzante — la vita libera della soggettività, che si estende alla sua propria oggettività — è il superamento di un giudizio eseguito dall'idea stessa, il superamento cioè della sua divisione originaria o *Urteilung*. L'idea che si divide originariamente, si riunisce con se stessa, rifiutando o negando la propria partizione originaria (*Urteilung*). La conclusione del processo, che non significa tuttavia fine alcuna, ma è un incessante risolversi in sé, toglie la perdita interiore della sua unità rigenerandosi eternamente.

Nel § 236 il compimento dell'elemento logico viene raggiunto nell'« idea assoluta ». In quanto assoluta l'idea è l'unificazione processuale dell'idea soggettiva (cioè del concetto dell'idea o dell'idea in quanto soggetto) con l'idea oggettiva (o idea in quanto oggetto della propria soggettività). È l'idea che pensa se stessa. Questa non è nient'altro che la verità stessa, che nella logica può presentarsi solo come idea ancora astratta o formale della verità. Infatti, secondo la definizione tradizionale della verità, la verità è l'adeguazione o l'accordo del pensiero, cioè del soggetto pensante, e dell'oggetto pensato, cioè dell'essere. Un'interpretazione conseguente di questa « definizione » toglie la distinzione tra i due estremi e quindi toglie al tempo stesso la loro relazione. Soggettività ed oggettività, pensare ed essere non costituiscono dunque più due poli di un giudizio, ma l'identità dell'unica idea. Poiché però quest'idea *esiste* proprio in quanto idea *che si pensa*, la struttura del giudizio permane in quanto tolta, cioè in quanto conserva un sillogismo costituito dal giudizio e dalla sua negazione o rifiuto (cfr. § 223).

La struttura astratta dell'idea, che è con ciò conseguita, deve realizzarsi, perché essa stessa deve obbedire alla necessità del concetto evidenziata nella logica. Ciò significa che essa deve uscire dalla dimensione dell'elemento logico, « negare » se stessa, allontanarsi da se stessa per quanto è possibile e trasformarsi nell'assolutamente altro rispetto all'elemento logico, per poter confermarsi anche concretamente [3]. L'allontanamento da se stessa, che è necessario come inizio della sua realizzazione (la realizzazione dell'idea attraverso la natura fino allo spirito), viene descritto da Hegel come il modo più primitivo ed immediato del suo esser fuori di sé. Qui egli qualifica questo immediato esser fuori di sé come una *intuizione*. Poiché l'idea non ha niente fuori di sé, ma ha solo se stessa per oggetto, si tratta qui ovviamente di un intuire dell'idea *mediante se stessa*. La prima annotazione al § 86 ci aiuta a comprendere il termine « intuizione » in questo contesto. A livello dell'elemento logico, cioè quando si è compresa la fondamentale identità dell'elemento logico e ontologico, « essere » e « intuizione » sono in fondo sinonimi, come dice Hegel in questo luogo. Entrambi indicano il momento più immediato e dunque l'inizio dello sviluppo di ciò che è *vero* o reale o pensato o *pensiero puro*. All'inizio della sua esteriorizzazione in un'altra dimensione, cioè nella dimensione dell'altro o del non-ideale, l'idea è dunque un essere immediato dell'idea, ovvero è l'idea che intuisce. Entrambe le dizioni si addicono all'idea come esser fuori di sé o come *natura* (cfr. § 244).

Poiché però il puro pensiero dell'idea non è ancora un conoscere infinito, il suo intuire, come il nostro, non può essere dipendente da qualcosa che proviene dall'esterno. Il

[3] Cfr. la chiara esposizione di questa necessità in D. WANDSCHNEIDER e V. HÖSLE, *Die Entäußerung der Idee zur Natur und ihre zeitliche Entfaltung als Geist bei Hegel*, « Hegel-Studien », 18 (1983), pp. 173-199, in particolare pp. 173-181.

conoscere dell'idea è completamente autonomo, indipendente o libero. Essa non è dunque né un trapassare di una categoria in un'altra, né il presupporre della riflessione tematizzato nella logica dell'essenza, ma è la conoscenza produttiva, che produce da se stessa ogni verità. Anche nella sua forma più immediata, come intuire immediato, l'idea è completamente indipendente e libera. Essa non riceve dunque nulla, ma produce per forza propria il suo esser altro a partire dalla pienezza della verità che essa è. Essa « lascia uscire » la natura « liberamente da sé » (§ 244). Il compimento, che l'idea è in quanto τέλος della logica, il sillogismo o la conclusione sillogistica che essa costituisce, non rimangono racchiusi in se stessi; essa si apre o si « de-cide » determinandosi in una modalità concreta dell'essere, in cui essa è difficilmente riconoscibile, ma che pure ne è segretamente il nucleo motore.

Le proprietà della natura sono opposte alle determinazioni dell'idea. La caratteristica fondamentale dell'elemento naturale è l'esteriorità, perfino in rapporto a se stessa (§ 247). Varietà, dispersione ed esser altro contrastano con la coesione e interiorità dell'idea. Poiché però questa rimane il nocciolo della natura — la natura anzi non è nient'altro che l'idea esteriorizzata — la natura stessa è dominata da un insopprimibile impulso all'unificazione, all'autorganizzazione e all'interiorizzazione. La filosofia della natura è l'esposizione dei diversi gradi e configurazioni, mediante cui la natura cerca di vincere a poco a poco la sua dispersione e si avvicina così al punto in cui l'idea, in essa attiva, consegue una nuova interiorità divenuta concreta mediante la sua estrinsecazione, interiorità che realizza la sua struttura (il suo concetto), esposta nella logica.

La realizzazione adeguata del concetto dell'idea non è però possibile nella dimensione della natura e in questo senso non si può dire che la φύσις tematizzata da Hegel diventa un *liber naturae*, nel quale poter indovinare i pensieri e i piani di Dio. L'idea, che intuisce la sua graduale concretizzazione nella natura, non può riconoscersi completamente in nessuna delle sue singole configurazioni. La soggettività e l'oggettività dell'idea rimangono distinte e come tali giudicate (*ge-urteilt*), fintantoché l'idea non solo si manifesta, ma anche si nasconde nella natura. Nella natura l'idea non « giunge » « al suo esser per sé » (§ 381); essa rimane lì separata da se stessa.

La dimensione della natura deve allora venire negata, perché l'idea possa pervenire alla sua adeguata realizzazione. La natura deve morire per fare posto ad un nuovo inizio. Questo è il motivo per cui la filosofia della natura, nel cui decorso l'iniziale esteriorità reciproca si organizza e si interiorizza sempre più, deve finire tuttavia con la morte dell'individuo naturale o dell'essere vivente (§§ 375-376). La natura non può produrre lo spirito, come pensa il materialismo; per realizzarsi pienamente l'idea ha bisogno sia della morte della natura sia anche della sua vita. Del resto ciò era stato ampiamente reso noto da Hegel nella logica: « La morte della vitalità, che è solo immediata e singola, è il *venir fuori dello spirito* » (§ 222). Solo nello spirito l'idea è concreta, cioè solo nello spirito l'idea perviene a sé.

La tematizzazione hegeliana della relazione di natura e spirito ripete l'antico pensiero preso da Platone e lasciato in eredità all'occidente di una radicale opposizione tra ψυχή e σῶμα. Nel *Fedone* Socrate si rallegra per la morte che si avvicina, perché questa costituisce il passaggio necessario all'esistenza più elevata e più libera dell'elemento psichico. Colui che, come il filosofo, con l'ascesi e la speculazione si è apparecchiato alla morte e l'ha presa su di sé, viene liberato mediante la morte dalla vita piena di sofferenze dell'uomo corporeo. La vita dello spirito vive della morte dell'elemento corporeo, in quanto si libera dal regno della semplice natura.

All'interno dell'orizzonte hegeliano è ovvio però che la separazione di natura e spirito può costituire solo un momento. Il morire o lo « sparire » (§ 381) della natura è solo un passaggio alla sua graduale spiritualizzazione e trasfigurazione. Come oggettività esteriore dell'idea, la natura viene integrata nello spirito, che dall'antropologia alla storia universale come anche nelle produzioni dell'arte, della religione e della scienza, le è debitore del carattere empirico senza cui lo spirito non può né essere né svilupparsi.

Hegel mostra che la natura deve togliere se stessa negli ultimi paragrafi della filosofia della natura, esponendo il processo del genere come un'opposizione insopprimibile tra l'universalità del genere e la singolarità immediata dell'essere vivente individuale. L'animale non può diventare parimenti singolare e universale e il genere in quanto tale non può singolarizzarsi. Una concreta identità di entrambi è impossibile, come è dimostrato dalla morte inevitabile di ogni essere vivente. L'unica soluzione sta nell'allontanarsi dalla dimensione dell'elemento (semplicemente) naturale e nell'elevarsi al livello in cui il concreto (o la soggettività) dell'idea e la sua oggettività si accordano reciprocamente o sono l'una conforme all'altra: « Con ciò la natura è trapassata nella sua verità, nella soggettività del concetto, la cui *oggettività* stessa è l'immediatezza negata della singolarità, l'*universalità concreta* » (— come risulterà ancora, il singolo a livello dello spirito è parimenti universale, vale a dire come anima, intelligenza, libertà e sapere —), « in tal modo è posto il concetto, che ha come sua *esistenza* la realtà ad esso corrispondente, il concetto, — lo spirito » (§ 376).

Solo nello spirito, che quindi è già determinato — sia pure in un modo puramente formale — l'idea può intuire la sua propria realtà. Il concetto dell'idea e la sua realtà sono qui identici: l'idea si è realizzata come concetto del concetto, ovvero come il concetto che comprende sé. Lo spirito è questo concetto che si concepisce. La sua compiuta realizzazione è il conoscere del conoscere, con cui si chiude l'*Enciclopedia*, ma all'inizio della filosofia dello spirito sta solo il suo concetto astratto, non ancora realizzato.

b) *La « definizione » dello spirito*

— Lo spirito ha *per noi* - a suo *presupposto la natura*
  - *di cui* esso è *la verità,*
  e quindi - di cui esso è *l'assolutamente primo.*

— In questa *verità* la natura è sparita e lo spirito è risultato
  come - l'idea giunta al suo essere per sé
  - il cui *oggetto* ⎰
  altrettanto quanto - il *soggetto* ⎱ *sono il concetto.*

— Questa identità - è *assoluta negatività,*
  poiché - nella natura il concetto ha la sua compiuta oggettività esteriore,
  - ma questa sua esteriorizzazione è tolta
  ed - esso è divenuto in questa identico con sé.

— Esso è quindi quest'identità parimenti solo in quanto ritorno dalla natura.

Il testo del paragrafo 381 che, come si è detto, si collega immediatamente al § 376 e deriva da questo, è qui disposto in modo tale che la struttura sintattica si mostra chiaramente. Questa struttura si comprende a partire dall'intento del paragrafo: la determinazione del concetto o « definizione » (ὁρισμός) dello spirito lo delimita di contro a ciò che esso non è, la natura. Il concetto dello spirito sorge come negazione del concetto della natura, la quale è essa stessa la negazione dell'idea. Come negazione della natura, lo spirito è il soggetto di una serie di proposizioni che determinano più precisamente la relazione dello spirito alla natura. Le quattro proposizioni, che consistono di più enunciazioni, sono così riducibili entro uno schema:

1. *Lo spirito* ha - *la natura* a suo presupposto.
   Lo spirito è la verità - *della natura.*
   Lo spirito è l'assolu-
   tamente primo - *della natura.*

2. In questa verità - *la natura* è sparita.
   Lo spirito è - l'idea (in e) per sé,
   cioè - l'identità di oggetto (*natura*) e soggetto (idea).

3. *Lo spirito* è assoluta
   negatività: - *la natura* è l'oggettività esteriore
   del concetto;
   - *la natura* (in quanto esteriorizzazione del concetto) è tolta;
   - *nella natura* il concetto è diven-
   tato identico con sé.

4. Questa identità è il
   ritorno - *dalla natura.*

Prima di addentrarci nel significato di questo schema, è opportuno premettere una spiegazione delle singole proposizioni.

1. « Per noi » — noi che abbiamo seguito l'intero sviluppo delle parti dell'*Enciclopedia* finora trattate, ma non necessariamente per ogni essenza spirituale, poiché questa può ignorare la sua propria costituzione — è evidente che lo spirito è la verità o il risultato della natura. Quest'ultima viene presupposta dallo spirito. Il risultare dello spirito dalla natura è stato già spiegato sopra. Il fatto che esso pervenga a questo risultato presuppone però, oltre alla natura, anche l'idea, poiché l'esteriorità della natura sarebbe pura passività e non produrrebbe assolutamente nulla, se essa non fosse in quella vivificata e posta in movimento dalla presenza dell'idea. Per questo motivo le proposizioni seguenti non mettono in rilievo solo la relazione dello spirito alla natura, ma anche la sua relazione all'idea.

Si è già detto che il risultato di uno svolgimento del concetto, in quanto lo scopo perseguito fin dall'inizio e operante come motore in questo perseguire (κινεῖ ὡς ἐρώμενον), è il vero inizio e la vera origine. Perché lo spirito sia « l'assoluto primo » della natura, viene spiegato dalle seguenti proposizioni: esso è *l'idea (ri-)tornata a se medesima attraverso la natura*, l'idea che è stata esposta nella logica come l'assoluta origine e l'originario assoluto. Idea e spirito sono origine e fine della natura. Il fine è l'origine concreta e quindi, come l'origine, è l'ἀρχή della natura.

2. Il fatto che la natura sia « sparita » nella sua verità, nello spirito, sembra essere un'esagerazione. Lo svolgimento precedente ha mostrato che essa deve morire; però questa morte era solo il tributo che essa deve pagare per risorgere ad una vita superiore a livello dello spirito e per essere trasfigurata nello spirito. La natura non è completamente « sparita », ma tolta. Forse è stata scelta l'espressione troppo forte « sparita » per accentuare la novità del nuovo inizio. Nella prima stesura dell'*Enciclopedia* (A. 299) il termine si può comprendere un po' più facilmente in quanto significativa sottolineatura della separazione tra due paragrafi successivi, il 298 e il 299: la filosofia della natura è ormai svolta; ora l'assoluto inizia la sua autorealizzazione nel proprio elemento spirituale.

Nel commento al § 376 si è dimostrato come lo spirito coincida con l'idea, che è pervenuta a se stessa dal suo esser altro nella natura, ha realizzato il suo concetto, o il suo essere in sé, e dunque ciò che era in sé già alla fine della logica ora lo è *per sé*. L'oggettività realizzata come natura dell'idea e l'idea intesa come il soggetto, che si era esteriorizzato in questa oggettività, sono ora identici nel concetto realizzato dell'idea.

Nella seconda proposizione sembra dunque essere contenuta una relazione tra tre termini : natura-spirito-idea (o concetto). Poiché però lo spirito è l'idea in sé e per sé essente o — come asserisce la quarta proposizione — è l'idea ritornata a sé dalla natura, si tratta propriamente solo di due termini, di cui uno, lo spirito, viene chiamato o secondo il suo nome pre-naturale (inteso *come idea* o concetto dell'idea), o secondo il suo nome vero « sopra-naturale » (*in quanto spirito* o idea, che è ritornata a se stessa ed è divenuta per sé). Nello schema questa relazione si mostra in quanto la relazione tra spirito e natura può essere espressa in diversi modi. Seguendo l'ordine viene espressa dai seguenti termini:

— *spirito* e *natura* (prima proposizione);
— *natura* e *spirito* (secondo la prima proposizione la natura è presupposta nello spirito);
— *spirito* e *idea*, che la *natura* (conformemente alla seconda proposizione) contiene in sé;
— *spirito*, *natura* e *concetto* (terza proposizione);
— *natura* e *concetto* (terza proposizione);
— *concetto* e *natura* (quarta proposizione).

In tutte queste proposizioni si tratta di un'unica relazione, che però viene chiarita da diversi punti di vista e la cui verità unifica tutti questi punti di vista: o dal punto di vista dello *spirito*, in cui si presentano tutti i momenti sunnominati; o dal punto di vista dell'*idea* nella sua forma astratta, del concetto, idea che si esteriorizza nella *natura* per diventare *spirito*; o dal punto di vista della *natura* che, in quanto esteriorità dell'idea o del concetto, deve togliersi nello spirito.

3. Poiché alla fine della filosofia della natura l'alienazione dell'idea o del suo concetto nella natura trapassa nello spirito mediante la negazione radicale della morte, come è stato spiegato dal § 376, lo spirito non è altro che la negazione della natura, la quale è essa stessa la negazione dell'idea. È dunque attraverso una doppia negazione, che è negazione tanto di se stessa quanto anche dell'altro, che l'assoluto, ritornato in sé, si chiama perciò non più « idea », ma « spirito ». Lo spirito è dunque la *negatività assoluta*.

4. La quarta proposizione non dice nulla di nuovo, ma insiste solo sulla relazione necessaria e tuttavia negativa dell'idea e dello spirito alla natura, la quale dunque non è per niente sparita, relazione che è un momento essenziale dell'identità spirituale.

Se ora riconsideriamo con uno sguardo d'insieme le quattro proposizioni del paragrafo e semplifichiamo lo schema presentato sopra, risulta evidente che la determinazione del concetto sviluppata qui non è nient'altro che la multiforme formulazione di un unico stato di cose conseguito nel § 376 alla luce della logica hegeliana:

1. Lo spirito presuppone la natura (linguaggio della riflessione) ed è la sua verità (logica del concetto).
2. Lo spirito — come concetto (dell'idea) realizzato — è la sintesi di soggetto (idea) e oggetto (natura).
3/4. Lo spirito — come concetto ritornato a sé dalla sua alienazione — è identità con sé in quanto assoluta negatività, mediata dalla natura.

Alla luce della logica del concetto le quattro proposizioni formulano insieme il pensiero che lo spirito, come il fine e la vera origine della natura tolta in esso (§ 376), è l'idea che è in sé e per sé, o il concetto realizzato. Vedremo che gli ultimi paragrafi dell'*Enciclopedia* riprendono la relazione tra idea e spirito per mostrare che solo l'idea (o l'elemento logico — il concetto — in generale) è l'elemento mediante il quale l'intera filosofia, e quindi tanto la natura quanto lo spirito, ha la sua realtà e verità.

3. La libertà (§§ 382 - 383)

Dopo la definizione i manuali scolastici del XVIII secolo passano spesso a discutere le proprietà dell'oggetto definito. Nei tre paragrafi 382-384 Hegel mette in evidenza come le due « proprietà » più essenziali dello spirito la *libertà* e la *rivelazione*. Così come la gravità è l'essenza di ciò che è materiale, altrettanto la libertà è « *l'essenza* dello spirito » (§ 382). Libertà invero non è altro che un diverso modo per designare « l'assoluta negatività del concetto come identità con sé ». Questa struttura si è mostrata nel § 381 come struttura fondamentale dello spirito. Per questo motivo l'elemento spirituale dello spirito è la libertà.

Certamente qui, all'inizio della filosofia dello spirito, si tratta ancora di una determinazione semplicemente formale dello spirito e della sua libertà. L'intero svolgimento, mediante il quale esso si concretizzerà come spirito libero, sta ancora davanti a noi. La struttura formale dell'autoidentità del concetto mediante la negatività contiene, secondo la logica hegeliana, due momenti che si mostreranno in ogni concretizzazione dello spirito: 1) il momento negativo dell'esser-nulla in rapporto ad ogni esser-altro (per esempio in rapporto alla semplice natura, al mondo civilizzato, agli avvenimenti storici e al corpo particolare); e 2) la negazione di questa prima negazione: l'esistenza che lo spirito necessariamente si dà, senza rinunciare alla sua differenziazione contenuta nel primo momento. Il primo momento viene discusso al § 382, il secondo al § 383.

Come concetto realizzato lo spirito è l'*universale* che si *singolarizza* per mezzo della sua autodifferenziazione. La singolarizzazione avviene in un'esistenza *particolare*, in cui l'universalità si realizza. Se si isola nel pensiero il momento dell'universalità pura, non ancora particolare e singolarizzata, la si pensa come un'astrazione. È l'universale in sé, privo di qualsiasi unione con altri momenti. Nella prima edizione (A. 300) Hegel aveva caratterizzato questa universalità dello spirito come il « suo proprio (*selbstisch*) essere in sé », come il « concetto semplice » dello spirito e come « l'assoluta universalità stessa ». Nella seconda e nella terza edizione (BC. 382) essa viene chiamata « la sua universalità astratta essente-per-sé in sé », espressione in cui l'« essere per sé » non può significare altro che l'essenza dello spirito non ancora affatto dispiegata, il cui concetto (o il cui essere in sé) è presentato al § 381. In quanto è una siffatta essenza astratta, lo spirito è solo *possibilità* (*essentia ut potentia*).

Ciò che sta tra la prima e l'ultima proposizione del paragrafo, è un'indicazione un po' più concreta della determinazione formale che è contenuta in quelle proposizioni: secondo il momento della sua astratta universalità o libertà, lo spirito è la possibilità dell'universale *negatio*, cioè di quella che comprende tutto, l'intero universo: lo spirito *può* astrarre da *tutto*, non solo da tutto ciò che non è, ma perfino da se stesso, nella misura in cui non è questa astratta universalità e ha un'esistenza particolare e singolare. Ciò che qui viene asserito come possibilità (*può*), è anche una necessità (in forza del suo concetto lo spirito *deve* anche astrarre da se stesso e da ogni altra cosa, ma questo « deve » viene sempre di nuovo negato, poiché è astratto, è solo un momento della concreta libertà dello spirito come negazione *assoluta*). Lo spirito non può perdere se stesso, quand'anche fosse privato di tutte le figure in cui si realizza. Il *dolore*, che la negazione dei diversi modi della sua esistenza gli causa, e la morte della vita individuale, che la natura non riesce a sintetizzare con l'universalità del genere, non impediscono che egli si conservi come identico con sé. Sebbene egli non esista mai come universalità *semplicemente astratta*, non può essere ucciso dal tramonto delle sue singole realizzazioni. Lo spirito realizza necessariamente la sua possibilità in figure sempre diverse del suo possesso di sé.

Forse Hegel con l'espressione, secondo cui lo spirito può « sopportare la negazione della sua immediatezza, il dolore infinito », allude alla morte di Gesù come morte di Dio, come ha fatto in *Fede e sapere*. Se è così, egli anticipa in questo paragrafo l'interpretazione filosofica di quella morte, un'interpretazione che egli fornisce nel penultimo capitolo dell'*Enciclopedia*. Leggiamo là, che « l'*assoluto ritorno* e l'universale unità dell'essenzialità universale e singolare » dello spirito si realizza in quanto l'uomo, divenuto figlio di Dio, si pone « nel giudizio come quest'esistenza immediata, e quindi sensibile, dell'assolutamente concreto » [cioè di Dio] e muore « nel dolore della *negatività* », per divenire con ciò, in quanto soggettività infinita e identica con sé, *per sé* (§ 569).

Non vorrei decidere se Hegel con l'espressione « dolore infinito » presente al § 382 pensa davvero già al dolore di Dio del § 569. L'aggiunta al § 382 collega il dolore al male e ricorda al lettore l'antica questione « in quale modo il dolore sia entrato nel mondo ». Questo potrebbe far pensare ad uno sfondo teologico. Comunque sia « il dolore infinito » è da intendere, anche senza risonanze religiose, come un'allusione alla differenza che separa lo spirito, in quanto possibilità infinita, dalla sua realizzazione necessaria nelle forme finite dell'esistenza.

In ogni caso Hegel sembra rivolgersi anche qui ad un concetto greco. Si è già menzionata la teoria platonica, esposta nel *Fedone*, della rinuncia e purificazione; ma per i paragrafi commentati sembra sia decisivo il pensiero aristotelico elaborato nel *De anima*, III, cap. 4-8, secondo cui la ψυχή e il νοῦς sono « in qualche maniera tutte le cose » (πώς πάντα, ib. 431 b 21). Nel § 378 Hegel ha raccomandato ai suoi lettori « i libri di *Aristotele sull'anima* » come « l'unica opera di interesse speculativo intorno a tale oggetto » (cioè la psicologia), e nel § 389 la figura più immediata dello spirito, l'anima, viene definita come « il νοῦς *passivo* di Aristotele che, sotto l'aspetto della *possibilità*, è tutto ».

La prima metà del § 383 deduce l'esistenza particolare dello spirito dall'universalità messa in luce al § 382. Benché questa nella sua astrazione sia un'interiorità immateriale, in quanto universalità del concetto (astratto), deve esteriorizzarsi e porre sé come un'esistenza particolare e empiricamente singolare, senza perdersi in quanto universale. L'idea deve alienarsi nella natura (§ 244), così come anche la possibilità dello spirito deve concretizzarsi in un'esistenza esteriore. La unità della possibilità (δύναμις) universale dello spirito con la sua realtà (ἐνέργεια) particolare viene espressa dal fatto che nel paragrafo si dice che l'universalità è anche la sua esistenza particolare.

L'esistenza empirica dello spirito (per esempio lo spirito nella figura del corpo animato, della fantasia, del popolo vivente o della storia del mondo) non è la stessa cosa della natura vivificata dall'idea. Si potrebbe considerare quest'ultima come una sorta di ombra o di preistoria dello spirito. Però non è affatto un'incarnazione adeguata in cui lo spirito manifesta la sua essenza spirituale (cfr. § 248 e ann.). Benché nella natura, poiché essa esprime l'idea — e quindi il concetto preliminare dello spirito — ci siano *tracce* della vita dello spirito, essa non è uno specchio puro in cui lo spirito manifesta la sua libertà, ma è un primo tentativo, inadeguato perché esteriore, di esporre la struttura concettuale dell'idea, che è poi anche la struttura fondamentale dello spirito; si tratta di un tentativo che non riesce e perciò deve tramontare, morire. Per essere una vera manifestazione dello spirito, la natura deve essere trasformata in un « mondo » dello spirito, come è detto al § 384.

I due momenti della libertà dello spirito, la distanza infinita (§ 382) e la presenza empirica (§ 383), costituiscono la sua concreta libertà o *manifestazione*. Con questa conversione della libertà in manifestazione, Hegel segue una tendenza rintracciabile in tutta la filosofia dello spirito: dopo aver caratterizzato l'essenza dello spirito come libertà, egli insiste su un aspetto teoretico. Sembra talvolta che la concezione hegeliana dello spirito oscilli tra il concetto dapprima pratico della libertà e il concetto teoretico del pensare e del conoscere. Risulterà che l'essenza più profonda dello spirito consiste non nell'elemento pratico, ma nel conoscere (libero).

4. Lo spirito come manifestazione (§§ 383 - 384)

Poiché lo spirito è libertà, esso è manifestazione. La sua possibilità (δύναμις) è realtà in atto (ἐνέργεια) e la sua essenza è il movimento (κύνησις) che identifica entrambe e che mai può cessare. Nell'aggiunta al § 247 Hegel caratterizza lo spirito anche come « *attuosità* ». Non si può propriamente dire che esso sia un *actus purus*, come l'intende Hegel in questa stessa aggiunta: infatti la *pura* attività caratterizza un universale o infinito che resta solo « in sé » e non contiene in sé nulla di finito o passivo, perfino neppure — per usare un'espressione kantiana — la passività di un'infinita autoaffezione. Poiché lo spirito è il processo che comprende tutto ciò che è finito, non è sollevato oltre il mondo dei fenomeni, ma è esso stesso l'infinità che appare in questo mondo e come questo mondo. Non è un Dio invisibile e un secondo mondo oltre o al di sotto della realtà empirica, ma è proprio l'intera ricchezza dell'universo empirico in quanto quest'ultimo viene inteso come autorealizzazione spazio-temporale dello spirito. Lo spirito non può né essere se stesso né sussistere, se non è parimenti l'altro in se stesso, l'empiria come espressione fenomenica dello spirito. La realtà dello spirito è la materia trasformata in umanità e civiltà: natura spiritualizzata o spirito incarnato.

Nella seconda metà del § 383 Hegel formula questo pensiero con l'aiuto della coppia di concetti logici *forma* e *contenuto*. Come libertà che dà a sé necessariamente l'esistenza, cioè come libertà che appare o che si manifesta (questa è secondo il § 382 la determinazione « formale » dello spirito), lo spirito non manifesta « qualcosa », cioè non manifesta un contenuto finito o qualcos'altro fuori di sé, ma *se* stesso. L'essenza dello spirito non è nient'altro che l'universalità che mediante la sua differenziazione si determina a esistenza empirica. *Ciò che* questa universalità manifesta o rivela è l'essenza o il concetto dello spirito, di cui essa è

38

il primo momento e origine in quanto universalità. Il fenomeno, in cui lo spirito si rivela, è dunque lo spirito stesso, che in ciò si rivela. Lo spirito non è nient'altro che il processo di questo rivelare.

Sebbene ciò che segue ora non sia ancora messo esplicitamente in rilievo da Hegel, possiamo già dire anticipando che anche il destinatario di questa rivelazione non si trova al di fuori dello spirito — al di fuori di sé non c'è nulla. Ciò a cui lo spirito si rivela, è lo spirito stesso. La definizione dello spirito può dunque suonare ora così: « autorivelazione attiva, che non tiene nascosto nulla » o « il rivelare che si rivela per questo rivelare ».

Il paragrafo 384 è la prima differenziazione del concetto formale dello spirito come automanifestazione, concetto conseguito al § 383, e costituisce quindi una prima partizione della filosofia dello spirito. Nel rivelare dello spirito vengono distinti due livelli e questi sono messi in relazione a quel livello che precede il sorgere dello spirito e nel quale l'idea si è manifestata. Queste tre rivelazioni sono le seguenti.

Il primo rivelare si dà nella misura in cui l'idea astratta, o — come Hegel dirà nei §§ 574-576 — l'*elemento logico*, trapassa nella natura (§ 244). È il divenire della natura. Questo divenire, in quanto passaggio dalla possibilità astratta dell'elemento logico all'essere esteriore della natura, in cui l'idea non si trova espressa adeguatamente, è dominato dalla struttura tematizzata nella logica dell'essere. La manifestazione di sé dell'idea nella natura non è una manifestazione adeguata. La natura non è in grado di esprimere il segreto dell'elemento logico in un modo adeguato e completo.

Il secondo ed il terzo rivelare manifestano l'idea come è ritornata a se stessa dalla natura, manifestano cioè lo spirito libero. In entrambe le rivelazioni lo spirito si manifesta per mezzo della sua relazione alla natura che qui, come esistenza dello spirito, ha ricevuto un significato diverso rispetto alla filosofia della natura e perciò si chiama « mondo ». La doppia rivelazione dello spirito come tale specifica l'esserci dello spirito, che è dedotto al § 383 [4].

Al secondo livello dell'autorivelazione dello spirito questo pone di contro a sé un qualcosa, con cui entra in relazione per perfezionarsi a spirito concreto per mezzo della relazione con esso [5]. La relazione presuppone la (provvisoria) indipendenza dall'elemento contrapposto. Un qualcosa di contrapposto allo spirito e indipendente è possibile solo come *natura*. Mediante la sua relazione reciproca con lo spirito, la natura si sviluppa a « mondo » o a « seconda natura » dello spirito [6]. Lo spirito ha bisogno della natura — la presuppone dunque —, per pervenire a se stesso in quanto assoluta *negatività*; poiché esso come assoluta *negatività* non dipende da niente eccetto che da se stesso, *pone* la natura come *suo* mondo. Una simile relazione di porre e presupporre è tipica per le strutture (onto-)logiche della riflessione. Il livello della rivelazione determinato qui caratterizza dunque lo spirito ancora come uno spirito finito. È il livello che comprende le figure dello spirito soggettivo e oggettivo.

La rivelazione suprema o il rivelare « nel concetto » è il solo adeguato. La relazione reciproca dello spirito con il suo mondo non lo manifesta ancora come l'assolutamente universale, che racchiude in sé ogni realtà e la « lascia uscire » « liberamente » da sé (cfr. §§ 244 e 246), per riprenderlo in sé. Nel rivelare vero o assoluto ciò che appare (il mondo fenomenico e *ogni essere*) non è nient'altro che l'assoluto manifesto, che rivela sé e che è rivelato: lo spirito, come esso è in sé e per sé nelle figure della concreta empiria. Il compi-

---

[4] Un ampio commento ai paragrafi A. 299-302 e BC. 381-384 e ai corrispettivi manoscritti, lezioni e aggiunte è stato pubblicato in olandese in *Hegels definitie van de geest*, « Tijdschrift voor Filosofie », 34 (1981), pp. 235-268 e 487-509.

[5] Cfr. *Gesammelte Werke* (G. W.), IV, pp. 413-414.

[6] Cfr. per la concezione del « mondo dello spirito » come una seconda natura anche *Grundlinien der Philosophie des Rechts*, § 4.

mento concreto della libertà spirituale è l'affermazione adeguata, in cui sfocia il compiuto sviluppo della sua assoluta
negatività. Solo alla luce della compiuta manifestazione dello
spirito la natura appare come un mondo spirituale, che te-
stimonia il fatto che essa è creata, vivificata e liberata dallo
spirito stesso.

Tanto « rivelare » quanto « creare » hanno origine dal
contesto della teologia. Come lasciano intendere anche le annotazioni al § 384 e al § 386 nella determinazione del concetto dello spirito Hegel allude alla dogmatica tradizionale
cristiana con le sue dottrine del Dio uno e trino, della sua
creazione e della sua rivelazione. Molto spesso, per esempio
subito all'inizio (§ 1) dell'*Enciclopedia*, Hegel si richiama
per motivi didattici alla conoscenza in materia di religione
del suo lettore o ascoltatore, ma la motivazione delle sue
espressioni teologiche ha soprattutto un significato teoretico.
Come mostrerà la spiegazione dei paragrafi 564-571, la filosofia di Hegel è un tentativo di comprendere così a fondo le
verità della dogmatica tradizionale, che diventa evidente la
loro identità con i momenti concettuali necessari del pensiero
puramente filosofico, in sé e per sé essente. Degno di nota è
il fatto che Hegel identifica la suprema autorivelazione dello
spirito, cioè lo spirito che conosce assolutamente se stesso
(cfr. *Enc.* §§ 572-577), con la creazione (*creatio ex nihilo*).
La « creazione di cielo e terra », che secondo la rappresentazione religiosa ebbe luogo « in principio » (§§ 576 e 568) è
« nel concetto », cioè per il filosofo autentico, il venire alla
luce del mondo umano e della sua storia *come* manifestazione
o *apocalisse* di Dio. La concettuale « intuizione di Dio » è la
creazione e illuminazione del mondo finito.

5. Divisione della filosofia dello spirito (§§ 384 - 386)

Le tre rivelazioni, distinte l'una dall'altra in base alla divisione della logica principale in *essere*, *riflessione* e *concetto*, hanno scomposto l'*Enciclopedia* in tre parti:

A) logica e filosofia della natura (prima rivelazione);
B) filosofia dello spirito finito (seconda rivelazione);
C) filosofia dello spirito infinito (terza rivelazione).

La divisione in due parti della filosofia dello spirito (B e C), che si è con ciò prodotta, viene recepita nel § 386 e un po' elaborata. Il secondo rivelare nominato al § 384 che, in quanto relazione della riflessione (§ 384), è esso stesso « un apparire all'interno di sé » (§ 386), viene determinato ora come « inadeguatezza del concetto » dello spirito e della sua « realtà ». Esso comprende una serie di gradi che condurranno lo spirito dalla sua finitezza e parziale non-verità alla verità assoluta dello spirito. Ciò che viene designato al § 384 con un'espressione teologica come « rivelazione creatrice », viene formulato al § 386 più platonicamente come l'identità della parvenza purificata e del sapere.

Lo spirito finito viene distinto nel § 385 in due parti, cosicché ne risulta una tripartizione. (I) Spirito *soggettivo* e (II) *oggettivo* sono distinti come (I) idealità astratta e (II) realtà oggettiva dello spirito, mentre (III) lo spirito *assoluto* viene determinato come loro unità. Il principio di questa divisione applica alla dimensione dello spirito la tripartizione della logica del concetto in (I) concetto soggettivo, (II) oggetto e (III) idea.

6. « Conosci te stesso » (§ 377)

Come si è detto, i paragrafi 377 e 380, che Hegel nella seconda edizione introdusse nel testo della prima edizione e conservò nella terza edizione, costituiscono un'introduzione didattica alla filosofia dello spirito soggettivo, sulla quale egli annunciò anche e tenne lezioni sotto il titolo di « antropologia e psicologia ». La sola cosa che vorrei mettere in evidenza a proposito di questi paragrafi, è il detto che Hegel premette loro: « Conosci te stesso! ». Hegel definisce questo imperativo « un comando assoluto » e pare con ciò voler dire qualcosa di più del fatto che ci si deve sforzare di conseguire la vera conoscenza umana per mezzo di uno studio assiduo della filosofia. Sembra che il « comando assoluto » coincida con il compito contenuto nell'essenza dello spirito della sua autorealizzazione a libertà concreta. Come hanno mostrato i §§ 382-384 e il § 386, la libertà dello spirito è la sua « liberazione » per mezzo della necessaria realizzazione della sua possibilità. L'essenza dello spirito è dunque *al tempo stesso* un compito e una necessità. Per l'uomo, in quanto spirito finito e non necessariamente buono, il compito dello spirito sembra — come mostrerà il nostro secondo capitolo — un *dover essere* (*sollen*), che si potrebbe formulare come un « *divieni ciò che sei* (cioè spirito)! ».

Se ora Hegel traduce immediatamente l'imperativo « *divieni ciò che sei* » nel precetto « *conosci ciò che* (o chi) *sei!* », egli cede di nuovo alla tendenza all'intellettualismo ricordata sopra. Con il precetto assoluto della *conoscenza* di sé egli annuncia già all'inizio della sua filosofia dello spirito il suo compimento nel *sapere assoluto*. Il *sapere di sapere* è l'ultimo orizzonte, all'interno del quale si muove l'autodivenire degli spiriti finiti e dello spirito assoluto.

Capitolo II

L'UNITÀ DI INTELLIGENZA E VOLONTÀ
NELLA PSICOLOGIA HEGELIANA

La filosofia dello spirito soggettivo incomincia con l'*anima*. Essendo la più immediata esistenza dello spirito, essa è « l'immaterialità universale della natura » e « la sostanza », da cui si sviluppano tutte le figure particolari e singolari dello spirito (§ 389). Come abbiamo già visto, Hegel identifica l'anima con « il νοῦς passivo di Aristotele che in potenza è tutto » e con una metafora la definisce « il *sonno* dello spirito » (§ 389), dal quale questo si desta come *coscienza*, per porsi come *ragione* (§ 387). I tre gradi dello sviluppo dello spirito soggettivo sono il dispiegarsi dell'anima nell'*antropologia*, della coscienza nella *fenomenologia* e della ragione nella *psicologia*. Essi costituiscono il cammino che lo spirito percorre per superare la sua passività in questa dimensione — ancora immediata e soggettiva — e per diventare spirito attivo, che possiede se stesso, cioè spirito libero (§§ 481-482).

Lo spirito libero è la realizzazione soggettiva del concetto di spirito, e perciò — come vedremo — è una realizzazione ancora « formale » del concetto dello spirito, che è stato determinato nei §§ 381-382. Poiché l'essenza dello spirito consiste nella libertà (§ 382), era da attendersi fin dall'inizio che lo sviluppo dello spirito, inteso come spirito sog-

45

gettivo, avrebbe raggiunto il suo compimento nello spirito libero.

In questo capitolo vogliamo acquisire una comprensione del modo in cui Hegel deduce lo spirito soggettivo libero, mediante l'analisi di alcuni passaggi all'interno del pensiero hegeliano. L'attenzione si indirizzerà perciò prima di tutto al momento pratico della costituzione della libertà e alla relazione tra momento pratico e momento teoretico. Per farci un'idea chiara di questa relazione, prendiamo in esame alcuni paragrafi della psicologia, nei quali viene stabilito come libertà, teoria e prassi si rapportano reciprocamente e devono rapportarsi non solo all'interno della vita del singolo uomo, ma anche nell'orizzonte politico, storico, religioso e scientifico.

Come si è già accennato in precedenza, la filosofia dello spirito di Hegel è dominata da due tendenze, che egli identifica forse con troppa leggerezza: 1) la tendenza che considera « la libertà » come « l'essenza » (§ 382) e il compimento dello spirito, e 2) la tendenza a considerare il *conoscere* come inizio e compimento dell'assoluto. L'inizio e la fine della psicologia, che vengono analizzati in questo capitolo, seguono la prima tendenza: i paragrafi 381-382 analizzati sopra considerano la *libertà* come il principio assoluto, ma i §§ 383-384 pongono l'accento sul rivelare. Al § 377 è stato premesso come motto il *conoscere* se stesso della filosofia dello spirito e anche nel primo paragrafo della dottrina dello spirito soggettivo (§ 387) si legge: « Lo spirito, che si svolge nella sua idealità, è lo spirito in quanto *conoscente* » (come nella logica, ma ora è in quanto autodeterminazione *concreta* dello spirito). Anche la logica comprende conoscere e volere sotto il titolo *conoscere* (§ 223); e la relazione dello spirito oggettivo (in cui lo spirito soggettivo si realizza come spirito *pratico*) allo spirito assoluto (che è uno spirito *teoretico*) sembra essere una relazione, in cui il volere e l'agire sono subordinati al sapere.

1. LA RAGIONE COME PRINCIPIO DELLA PSICOLOGIA (§§ 436-439)

La psicologia hegeliana si fonda sul principio della ragione. In quanto intelligenza umana, in quanto volontà e libertà, lo spirito è essenzialmente razionale e non è altro che una concretizzazione della razionalità esistente. La *ragione* è a tal punto l'essenza dello spirito, che nel primo paragrafo della filosofia dello spirito soggettivo viene identificata con lo spirito. « Nell'*anima si desta* la *coscienza*; la coscienza *si pone in quanto ragione*, la quale si è immediatamente destata alla ragione che si sa [= allo spirito] » (§ 387).

Che cosa si chiama però « ragione » nell'orizzonte di una filosofia dello spirito finito e ancora soggettivo? Il suo concetto viene dedotto come compimento della fenomenologia (§§ 438-439); cioè essa è il risultato della relazione reciproca di coscienza e autocoscienza.

Il gioco fenomenologico di coscienza ed autocoscienza comincia con il bisogno della coscienza singola, che deve divenire consapevole di se stessa *in quanto* unità di coscienza e autocoscienza. Per conseguire questa coscienza di se medesima come unità della coscienza, che ha un oggetto, e dell'autocoscienza, che ha per oggetto se stessa, la coscienza ha bisogno di un'altra coscienza, che è ad essa uguale, e dunque è parimenti autocoscienza. L'identità con se stessa, come coscienza che è al tempo stesso autocoscienza, viene raggiunta dalla « prima » coscienza solo in quanto il suo oggetto (l'altro, di contro al quale essa sta inizialmente come di contro ad un estraneo) si mostra come un'(auto-)coscienza eguale e perciò identica alla prima coscienza. Poi l'(altra) autocoscienza viene riconosciuta dalla (prima) coscienza come identica a sé, come la medesima autocoscienza, in quanto quella riconosce questa coscienza, la quale ora è parimenti autocoscienza. Il significato globale della « lotta per il riconoscimento », così come è contenuta nella *Fenomenologia* dell'*Enciclopedia* (§§

47

424-437) non consiste assolutamente in una tematizzazione dell'*intersoggettività* (non si parla affatto di linguaggio, pensiero, volontà, azione, diritto e scambio), ma solo in un processo mediante il quale l'autocoscienza immediata o astratta deve diventare per se stessa un'altra (auto-)coscienza, per potersi identificare con se stessa. Abbiamo un processo analogo già nel passaggio dell'idea alla natura (§ 244) e possiamo osservarlo nello spirito nel suo porre l'esistenza empirica come *suo* essere (§ 383). Questo processo si ripeterà sempre a nuovi livelli, finché non è ancora raggiunta la compiuta concretizzazione dell'assoluto.

Il risultato formulato ai §§ 436-437, cioè il divenire una delle diverse « autocoscienze », è « l'unità della coscienza [il cui oggetto qui è l'altra coscienza] e [dell']autocoscienza »: l'altra coscienza è identica alla prima; la prima è dunque consapevole di se stessa nell'altra. Con ciò non si è affatto raggiunto qualcosa come l'amore, ma un'autocoscienza « universale » e « oggettiva ». L'altra (auto-)coscienza rappresenta qualunque realtà che possa essere oggetto per la prima (auto-)coscienza: l'intero di ogni oggettività reale e possibile. Ora, là dove l'alterità dell'altra autocoscienza è tolta e la prima coscienza è consapevole di se stessa in quanto autocoscienza universale, essa possiede ogni oggettività *come identica a sé.* L'autocoscienza ha dunque tutta la *verità* in sé (verità infatti è l'accordo completo dell'elemento *soggettivo*, cioè in questo caso della coscienza, con l'elemento *oggettivo*, del quale la coscienza è a sé consapevole). Ciò che la coscienza ora « sa », non proviene più dall'esterno, ma è un momento di questa stessa (auto-)coscienza. La vera coscienza, in cui soggetto e oggetto non lottano più l'uno con l'altro, poiché la loro opposizione è tolta, si chiama « la *ragione* ».

« La ragione » è un termine analogico, che si presenta a molti livelli dello sviluppo concettuale hegeliano. Alla fine della logica « ragione » è un sinonimo per l'*idea* (§ 214). In quanto « ragione formale o intelletto che sillogizza », essa costituisce il culmine dello spirito teoretico soggettivo e ancora formale (§ 467). Qui, alla fine della fenomenologia e come principio della psicologia, la ragione è « *l'identità* semplice della *soggettività* del concetto e della sua oggettività », ovvero è l'unità dell'oggetto solo apparentemente *dato*, che però in realtà « compenetra e comprende l'io », e « del puro io », il quale non è più contrapposto all'oggetto, ma lo supera e lo comprende in sé (§ 438).

Soltanto ora è raggiunto « l'io », che non solo — come diceva Kant — « accompagna » tutte le rappresentazioni della nostra coscienza, ma *è* identico con l'oggettività. Questo è il punto, in cui l'abisso che Fichte, secondo Hegel, non poté mai colmare, viene superato, poiché l'idea ottiene la sua concretizzazione nell'ambito dello spirito soggettivo in quanto « il vero *in sé e per sé* » e « l'unità assoluta del concetto e dell'oggettività » (§ 213). Nell'annotazione al § 437 lo stesso Hegel rinvia al § 213 della logica. Avrebbe potuto rimandare anche al § 214, in cui si dice che l'idea, essendo l'unità assoluta del concetto e dell'oggettività, « può essere compresa » « come la *ragione* ».

L'identità di soggettività e oggettività, conseguita nella ragione, è la verità, ma questa non si manifesta subito nella sua completa concretizzazione. La verità immediata è l'autocoscienza razionale, che « sa » immediatamente o è « *certa* », che non c'è più distinzione alcuna tra le determinazioni del suo pensiero e le determinazioni degli oggetti che si presentano. Ciò che è dato a posteriori, può essere anche compreso a priori, cioè può essere dedotto concettualmente. Mediante la razionalità il sapere ed il volere perdono la loro contingenza e divengono « oggettivi », « universali » e necessari in senso kantiano.

La ragione dunque non è ora semplicemente l'idea attiva in ogni pensiero ed in ogni realtà, ma un qualcosa *che sa*, che ha raggiunto la terra della verità. L'autocoscienza razionale o « io » si riconosce fondamentalmente come il concetto vero, che comprende in sé tutto; essa è la certezza di se stessa « in quanto universalità infinita ». Come sapere, che contiene in sé la verità, quest'autocoscienza (o io) si chiama « lo spirito » (§ 439).

2. LO SPIRITO SOGGETTIVO COME UNITÀ DELL'ELEMENTO TEORETICO E PRATICO (§§ 440 - 444)

Come ragione concreta lo spirito è la totalità che racchiude in sé tutto il soggettivo e l'oggettivo. Esso non ha alcun essere fuori di sé, poiché tutto l'essere è una determinazione della sua propria esistenza: « Lo spirito comincia pertanto solo dal suo proprio essere e si rapporta solo a sue proprie determinazioni » (§ 440). La totalità dello spirito viene però introdotta subito da Hegel come un *sapere* e non come qualcosa che precede ancora la distinzione tra sapere e volere o la oltrepassa: come sintesi di anima (sostanza) e coscienza, lo spirito sarebbe il « sapere della totalità sostanziale, né soggettiva né oggettiva » (§ 440; cfr. anche § 441).

Il fatto che lo spirito « si rapporta solo a sue proprie determinazioni » significa tra l'altro anche che le diverse possibilità o facoltà del pensare e del volere umani vengono prodotte dallo spirito stesso come gradi della sua concreta liberazione (cfr. § 442 ann.). In quanto *causa sui*, lo spirito dispiega le sue possibilità (cfr. § 382 e § 383), particolarizzando o determinando se stesso.

Lo schema dei paragrafi introduttivi della psicologia è il consueto: il *concetto* astratto dello spirito (§ 440), ottenuto come risultato dello svolgimento precedente (§ 439), viene un po' spiegato e chiarito come inizio di uno svolgimento necessario (§ 441). Si accenna allo *scopo* e al *percorso* dello svolgimento (§ 442) e la distinzione delle *tappe principali* del cammino conduce ad una *divisione* (§§ 443-444). I paragrafi 443-444 sono di grande importanza per la relazione dell'ele-

50

mento teoretico con l'elemento pratico nella filosofia dello spirito hegeliana. Come autocoscienza *razionale* lo spirito non solo *è* l'identità dell'io (o del soggetto) con il suo altro (o con il suo oggetto), ma anche *sa* di essere ciò. Le determinazioni che sono contenute nello spirito non gli vengono dall'esterno, ma gli sono date da lui stesso; in tanto lo spirito le comprende come essenti, in quanto le produce da se stesso. Il contenuto dello spirito è « tanto quello *in sé essente*, quanto [essendo libero] il *suo* ». Può dunque essere descritto da due lati. Le determinazioni dello spirito sono a) qualcosa *di essente*, che viene *dato* nello spirito e *trovato* (dallo spirito) e b) qualcosa che lo spirito dà *a se stesso*. Esse sono al tempo stesso qualcosa *di essente* e qualcosa di *suo*.

Il suo e l'essente dello spirito sono le nuove denominazioni per la soggettività e l'oggettività, la cui opposizione si è ripetuta fin dalla logica in forma sempre mutata. La loro identità fondamentale, che è raggiunta nel concetto della ragione, deve dimostrarsi nello svolgimento dello spirito, deve cioè svolgersi a verità concreta o all'accordo del concetto con la sua realtà. La dimostrazione può cominciare a partire dall'*essente* o dal *suo*. Il percorso dello spirito teoretico va dall'essente al suo; lo spirito pratico percorre la via opposta: dal suo all'essente.

a) Lo *spirito teoretico* è l'attività che convalida il principio della ragione, in quanto elabora a tal punto ciò che appare come una determinazione data immediatamente o a posteriori (e dunque ciò che deve essere presupposto come una condizione di possibilità per la conoscenza), che alla fine essa si mostra come un puro prodotto dello spirito, il quale lo produce a priori a partire da se stesso. Questa forma di produzione dello spirito perviene al suo completo sviluppo nell'*intelligenza*, in cui culmina la filosofia dello spirito teoretico (§ 468).

51

b) La *volontà*, che realizza il concetto dello spirito *pratico*, produce un contenuto, che dapprima non ha un'esistenza e rimane pertanto semplicemente soggettivo. Essa però lo « libera » da questa unilateralità, trasformandolo in un essere oggettivo per mezzo dell'agire.

c) Lo *spirito libero* viene annunciato al § 443 e dedotto nei §§ 480-481 come la sintesi dello spirito teoretico e pratico, sintesi che toglie completamente la loro unilateralità e realizza quindi in modo adeguato l'identità razionale dell'essente con l'elemento spirituale. Che lo sviluppo dello spirito non cessi con ciò, dipende dal fatto che l'intera filosofia dello spirito soggettivo si limita ancora agli aspetti « *formali* » (§ 444) dello spirito finito e non procede alla differenziazione del contenuto, in cui lo spirito realizza la sua libertà come un *mondo* dello spirito.

La struttura del concetto dello spirito esposta nei paragrafi 381-383 trova la sua concretizzazione nei paragrafi 443-481, nella misura in cui gli ultimi paragrafi espongono lo spirito in quanto la libera attività (§ 382), che dà a sé esistenza e manifestazione mediante produzioni del pensiero e della volontà (§§ 382-384). Il suo « rivelare » però è anche a questo livello ancora semplicemente « formale », nella misura in cui la psicologia mostra solo *come* procede lo spirito e non ancora *che cosa* deve pensare e volere in quanto spirito.

3. INTELLIGENZA E VOLONTÀ (§ 468)

Il paragrafo 468 costituisce un testo chiave, poiché deduce la *volontà* dall'*intelligenza* ed insieme accenna ad una origine più profonda, dalla quale entrambe rampollano. Essa concretizza l'unità dell'elemento teoretico e dell'elemento pratico citata nel § 443, esponendo l'intelligenza (o il pensare) e la volontà libera (o il volere razionale) come due modi dell'*autodeterminazione*. Nei paragrafi 445-467 Hegel ha mostrato come lo spirito teorico porta a compimento il programma presentato nel § 443. Il dato immediato, che influenza o determina l'elemento pensante, viene fatto proprio dal pensiero a tal punto, che si trasforma in un possesso interno od in una proprietà interna (« il suo ») dello spirito pensante. « Appropriazione » e « proprietà » sono metafore giuridiche, con cui Hegel chiarisce l'elemento teoretico da una prospettiva pratica. Il rovesciamento nell'elemento pratico è vicino. Hegel impiega un'espressione più neutrale, in quanto designa il medesimo risultato come una forma dell'autodeterminazione: l'elaborazione teoretica delle determinatezze immediate consiste nel fatto che il loro contenuto si manifesta per l'intelligenza come qualcosa che « è determinato mediante essa ». L'intelligenza sa dunque che il dato *a posteriori* non è nient'altro che il suo proprio pensiero pensato *a priori*.

Autodeterminazione è un altro termine al posto di libertà; appropriazione e proprietà ne sono solo un'espressione empirica. Se il pensare si è ora dimostrato come *libero*, in quanto non prende il contenuto del suo pensiero dall'esterno, ma lo produce per forza propria, esso coincide essenzialmente con lo spirito pratico, il quale, secondo la sua essenza ed il suo concetto più interiori, è anche un alcunché che determina se stesso. Pensare e volere sono due modi dell'autodeterminazione dello spirito. Nel loro compimento più elevato e nella loro origine più profonda sono la stessa cosa: *libertà* ovvero *lo spirito che si determina*. Nel § 468 questo concetto svolge la funzione dell'origine comune, che congiunge lo spirito teorico e lo spirito pratico; come compimento dello spirito soggettivo (§ 481) è il medio che racchiude in sé entrambi. Il concetto della libertà è stato in fondo già presentato con il concetto astratto dello spirito soggettivo, in quanto vi era già contenuto il fatto che esso « comincia solo dal suo proprio essere e si rapporta solo a determinazioni sue proprie » (§ 440).

4. LO SPIRITO PRATICO SOGGETTIVO (§§ 469-481)

a) *Psicologia ed etica fondamentale* (§§ 469-470)

Nei tredici paragrafi dedicati all'analisi della volontà Hegel include tutti i concetti fondamentali tematizzati da Kant nella *Critica della ragion pratica*. Kant li aveva presi in gran parte dai manuali aristotelizzanti del suo secolo, manuali che erano noti anche a Hegel. Le radici aristoteliche della dottrina hegeliana dello spirito pratico sono evidenti, ma il modo in cui Hegel le ha inglobate è mediato dalla loro trasformazione kantiana.

C'è un pensiero fondamentale, che Hegel ha in comune con Kant e che domina l'intero sviluppo dei §§ 469-481: la *volontà* (la *voluntas* degli scolastici) non può essere commutata nell'*arbitrio* (*liberum arbitrium*), poiché quella è essenzialmente razionale, mentre questo sta in relazione con le norme della ragione in modo neutrale. Con la sua deduzione della volontà nel § 468 Hegel ha chiarito il fatto che la volontà è identica alla ragione, nella misura in cui questa è pratica. In quanto nuova concretizzazione della ragione libera che determina se stessa, essa include il pensare dell'intelligenza. La realizzazione del suo concetto esprimerà allora questo carattere razionale e pensante, a partire dalla sua figura più immediata e quindi più inadeguata, fino alla sua realizzazione adeguata come spirito libero, che pensa e vuole.

Come attività spirituale, che si determina mediante se stessa ad un'esistenza determinata (cfr. § 382), la volontà è un deliberare che rimane immanente o « in sé » e si compie in sé. Il νοῦς aristotelico, che, in quanto anima, era passivo (§ 389), è ora il νοῦς attivo, che crea da se stesso le sue determinazioni. Come attività razionale, cioè *universale*, che si risolve ad un'esistenza determinata (cioè *particolare*), la volontà è la *singolarizzazione* dello spirito soggettivo. La sua struttura ed il suo movimento rendono dunque concreta la logica interna del concetto. Benché la volontà debba essere definita come lo spirito, che dà a se stesso il suo contenuto, il suo contenuto particolare non può ancora essere dedotto all'interno del capitolo sullo spirito soggettivo, in quanto il suo concetto rimane qui ancora «formale»: a questo livello viene specificata la *forma* della volontà, ovvero il *come* del volere, non *che cosa* deve volere. Come già è stato notato a proposito del concetto generale della psicologia, questo «formalismo» contrassegna l'intera dottrina dello spirito soggettivo, e dunque anche i diversi gradi dello spirito teoretico (cfr. §§ 440 ann. 442, 444, 446-467).

L'espressione «formalismo», che Hegel impiega al § 469, costituisce ovviamente anche un'allusione alla kantiana fondazione formale della filosofia morale. Qui non è inteso come una critica negativa; al contrario, Hegel legittima il formalismo della volontà, mostrando il posto che le appartiene necessariamente. Egli stesso procederà in un modo semplicemente formale per mostrare come il concetto o l'essere in sé della volontà porti a compimento la libertà contenuta in essa, cioè come la realizzi nella figura di una singola esistenza libera. Solo all'interno della filosofia dello spirito oggettivo esso perverrà al contenuto concreto. Là cercherà di superare il formalismo, che al livello attuale detiene in comune con Kant; un tentativo che, secondo il punto di vista di Hegel, non è riuscito a Kant. In che modo la volontà formale si sviluppa fino a questo punto, in cui essa, in quanto forma compiutamente dispiegata, deve differenziare o determinare anche il suo contenuto, viene esposto per l'appunto nella trattazione formale dello spirito pratico.

Nel § 470 Hegel inserisce il concetto kantiano del dover essere morale, ma distingue da questo un altro genere di dover essere, in cui egli pone gli imperativi utilitaristici o «tecnici» tematizzati da Kant e le regole dell'avvedutezza.

Il concetto universale del volere contiene due diverse forme di dover essere (*Sollen*):

1) fintantoché lo spirito pratico e la realtà effettiva dell'essente non si accordano compiutamente, cioè finché c'è da fare ancora qualcosa, c'è un'opposizione tra le determinazioni che la volontà produce da se stessa (il *suo*) e le determinazioni date che essa trova (l'*essente* cfr. § 443). La determinazione della volontà *deve* realizzarsi (la volontà vuole così), ma la fatticità immediata (l'essere, come è immediatamente) non è senz'altro passibile di essere plasmata mediante la volontà. Il conflitto tra l'essente e la volontà si manifesta come un *male* (*Übel*), che Kant ha distinto dal *Böse*, in quanto collega *Gute* e *Böse* con l'imperativo categorico e *Übel*, come pure *Wohl*, con gli imperativi ipotetici della felicità.

2) Il secondo dover essere, citato al § 470, è l'imperativo categorico. Esso consiste nell'« universalità del pensiero », che è contenuta — in quanto ragione pratica — nel concetto della volontà e richiede che le decisioni, mediante cui il concetto della volontà riceve esistenza, si accordino con quell'universalità o con il concetto. Questa esigenza è un dover essere astratto, o formale, o essente in sé, in quanto la « volontà » *immediata*, ovvero quella che sorge spontaneamente (per esempio un sentimento determinato o un'inclinazione), non si accorda necessariamente con il concetto astratto della volontà vera. Il contenuto, a cui si risolve la volontà effettiva, *può* essere un contenuto, che si accorda con il contenuto richiesto o « dovuto »; ma può anche essere un altro. Le diverse figure, in cui lo spirito pratico si mostrerà ancora (sentimento, impulso, inclinazione, passione ecc.) non sono razionali secondo la loro *forma* come la volontà vera. Se vogliamo chiamare anche quelle forme « volontà », — per Hegel sono forme immediate della volontà, non ancora completamente o concretamente vere — dobbiamo comprendere che sono separate mediante un'opposizione dal concetto astrattamente vero della volontà. Questa separazione o non accordo tra la volontà razionale ed *universale* come tale ed i *particolari* sentimenti, inclinazioni, impulsi ecc., i cui scopi tal-

volta anche non lo sono, costiuisce la scissione tra *universalità* e *contingenza*, su cui Kant ha fondato la sua etica. All'interno della filosofia hegeliana quest'opposizione contiene però un aspetto diverso rispetto a Kant: la scissione significa che non si è ancora raggiunto il concetto come unità logica di universalità e particolarità nella singolarità che comprende entrambe. L'opposizione, che inerisce al dover essere morale, è tolta, quando il concetto della volontà ha trovato un'esistenza adeguata e si è così compiuto, cioè quando lo spirito vuole realmente e concretamente se stesso in quanto la libertà (§ 481) è l'unico bene (§ 511).

La contingenza — a cui ci si riferisce nell'ultima parte del § 470 — dell'accordo tra il concetto della volontà (che include la razionalità pratica) e la sua realizzazione incompiuta viene spiegato nell'annotazione al paragrafo 471, che si può leggere come un'illustrazione di tutte le forme della volontà non vera, benché tratti esplicitamente solo del sentimento. Al pari di Kant, Hegel vede nell'universalità e nella necessità i contrassegni dell'imperativo morale. Contingenza e particolarità conducono tutt'al più, *in quanto tali*, cioè nell'astrazione della ragione universale e necessaria, all'edonismo o alla felicità.

La tematizzazione del dover essere come un momento essenziale della realizzazione del concetto di volontà è perciò responsabile del fatto *che la psicologia di Hegel è al tempo stesso un'etica fondamentale*. Benché quest'ultima permanga piuttosto implicita, la si può desumere dal testo, intendendola come la traduzione pratica del « divieni ciò che sei », che abbraccia l'intera filosofia dello spirito soggettivo. Il rispetto kantiano per l'umanità (cioè per l'esser uomo) presente in ogni uomo, tradotto nella terminologia hegeliana, suonerebbe come « *devi volere* (effettivamente) *ciò che* (come volontà razionale) *vuoi* » [1].

---

[1] Cfr. *The Foundations of Ethics according to Hegel*, « International Philosophical Quarterly », 23 (1983), pp. 349-365.

b) *La struttura della volontà* (§§ 471-480)

I gradi, mediante cui il concetto della volontà consegue la sua verità, sono le sue realizzazioni inadeguate, che comunque lo esprimono in qualche modo ed in misura crescente. Riassumerò la loro esposizione presente nei paragrafi 471-480 solo per quel tanto che è necessario per una migliore comprensione del concetto della volontà libera.

Il primo grado (§§ 471-472) è una forma così immediata dell'autodeterminarsi, che l'uomo la subisce piuttosto che produrla attivamente. Nel *sentimento pratico* il singolo uomo si avverte come un senziente, il cui sentire lo determina al perseguire o all'evitare, al timore o al desiderio in rapporto a questo o a quello. Si può trattare di sentimenti molto comuni, come il bisogno di nutrimento, ma anche di sentimenti più elevati, per esempio di sentimenti morali o religiosi. Il sentimento morale ha procurato a Kant molte difficoltà, dal momento che sembra essere tanto sensibile quanto spirituale [2]. Hegel risolve le difficoltà dicendo con Kant che il sentimento in quanto tale non può costituire un criterio, poiché è solo contingente il fatto che ciò che è indicato dal sentire sia anche razionale. D'altro canto egli scorge in tutti i sentimenti forme preliminari della volontà, in cui questa si determina in un modo empirico ed esiste empiricamente. Il primo dover essere, che è stato distinto nel § 470, appare qui come il divario tra il sentimento, nella cui disposizione ci si trova, e la realtà effettiva, con cui ci si vede messi a confronto. Se entrambi concordano, si avverte ciò come *piacevole*, se invece non concordano, il risultato è allora spiacevole. Il *piacere* e il *dispiacere*, tematizzati da Platone, Aristotele e Kant, che qui Hegel chiama « il piacevole e lo spiacevole », sono i modi d'essere contingenti, a cui conduce il primo dover essere (§ 472).

---

[2] Cfr. I. KANT, *Kritik der praktischen Vernunft*, Ak. V, pp. 71-89.

Il secondo dover essere è la tensione tra l'*universalità* della volontà *razionale*, la quale — come concetto dello spirito pratico — è qui già attiva, benché ancora in modo nascosto, ed il contenuto *contingente* del *sentimento*, che cerca ciò che è piacevole ed evita ciò che è spiacevole. È contingente che i fini di un edonista si accordino con il fine della ragion pratica. Egli può volgere i suoi desideri soggettivi altrettanto *contro* l'universale e divenire cattivo (§§ 471-472, cfr. § 512).

Gli *impulsi*, le *inclinazioni* e le *passioni* (§§ 473-376) sono forme dell'autodeterminazione più evidenti del sentimento semplicemente trovato. In quest'ultimo l'essere richiesto dal dover essere intrinseco (il piacevole), se c'è, è una determinatezza del soggetto senziente *semplicemente trovata*. In quanto tale *essere*, il piacevole è una forma inadeguata del concetto della volontà che si autodetermina. Nell'impulso o nell'inclinazione è il soggetto stesso che pone la determinatezza verso cui è sospinto. Anche questo tendere è ancora naturale o — per dirla con Kant — « sensibile » e trovato dal soggetto come determinatezza data. Non è dunque voluto in senso autentico dallo spirito stesso. E tuttavia la soddisfazione, a cui il dover essere conduce, è perseguita dal soggetto stesso e, dove possibile, realizzata (§ 473).

Nel § 474 Hegel sostiene a proposito delle inclinazioni e delle passioni (e dunque degli impulsi autocoscienti) la stessa cosa detta nel § 471 a proposito del sentimento pratico: possono essere buone, cioè razionali, ma anche cattive. Egli prepara l'opposizione dialettica che ne deriva accennando al fatto che questi impulsi stanno gli uni di contro agli altri come una molteplicità di inclinazioni particolari — e sono quindi posti potenzialmente in una relazione conflittuale —, in modo tale da mettere l'individuo di fronte al problema di come debba comportarsi con questa sua molteplicità, fonte di conflitti.

Quest'individuo è il soggetto in cerca di soddisfazione, il quale può appagare i suoi impulsi solo sollevandosi oltre la loro molteplicità « e il loro vario contenuto », cioè sopra la kantiana « molteplicità sensibile », risolvendo per mezzo del pensiero riflettente i conflitti tra i suoi impulsi nel senso di una soddisfazione adeguata per il soggetto. Questo pensiero soggettivo, che ordina ciò che è dato empiricamente, fa della volontà una volontà *riflettente* (§ 470). La soluzione della contraddittorietà degli impulsi presuppone una *scelta*: il soggetto non può appagare tutte le sue inclinazioni, poiché esse cozzano le une contro le altre; egli ne sceglie dunque una sola, oppure sceglie una certa mescolanza di singole inclinazioni, mentre ne lascia altre inappagate. Il momento del poter scegliere si chiama, come per Kant, l'*arbitrio* (§ 477).

L'arbitrio è una figura strana della volontà (§ 478). Esso costituisce una contraddizione interna che, in quanto contraddizione, procede oltre se stessa. Da un lato sembra essere la libertà suprema, poiché si solleva oltre ogni determinatezza immediata o trovata, incluse tutte le forme dell'autodeterminazione trovata, come il sentimento pratico, gli impulsi, le inclinazioni e le passioni. Non si fa determinare da niente di dato, dal momento che è proprio lui a fornire tutte le determinazioni; è dunque « riflesso in se stesso ». *Dall'altro lato* l'arbitrio dipende completamente da ciò che è dato immediatamente, poiché per scegliere qualcosa, cioè per ottenere un determinato contenuto, non ha altre risorse che gli impulsi e le inclinazioni. In quanto è attivo e si decide, si congiunge al contenuto di un'inclinazione particolare, cioè una figura soggettiva e contingente della volontà o, kantianamente, ad una figura sensibile e non universale. L'arbitrio è una contraddizione, poiché è al tempo stesso formalmente universale e contenutisticamente non universale, ma semplicemente particolare. La sua particolarizzazione non è quella del concetto, poiché l'arbitrio consiste solo in una scelta arbitraria, cioè contingente, di un particolare dopo l'altro, senza che ci sia un criterio universale od oggettivo, capace di regolamentare il suo scegliere. L'universalità formale dell'arbitrio non può creare da se stessa le massime della sua autodifferenziazione, poiché non è nient'altro che un miscuglio di libertà negativa e positività contingente. Esso deve volere sempre una qualche singola particolarità, ma è puramente contingente e soggettivo che voglia proprio questa particolarità determinata. L'appagamento che esso trova nella sua realizzazione mediante un particolare impulso è buono tanto quanto un altro. Nessuna soddisfazione singola è un'espressione adeguata di ciò che esso propriamente vuole, in quanto universalità che si è elevata al di sopra di ogni particolarità.

La ricerca, tematizzata anche da Kant, di uno scopo empirico della vita viene caratterizzata da Hegel come un processo all'infinito che delude, poiché realizza sempre di nuovo la contraddizione che le è caratteristica. Un'etica al pari di quella utilitaristica, che cerca di fondare le sue regole sulla libertà di scelta e sull'appagamento di bisogni particolari, inclinazioni, desideri, ecc., è necessariamente un'etica soggettivistica ed edonistica. Dal momento che essa conosce solo generalizzazioni empiriche, ma non un'universalità « oggettiva » e necessaria (o concettuale), il suo criterio può riposare solo sul sentimento dell'appagamento o del piacevole e dello spiacevole.

Ognuno comprende che l'appagamento singolo di un impulso particolare non può costituire l'intero contenuto della sua volontà. La volontà vuole un'esistenza empirica, che renda concreta la sua universalità. Anche l'incessante appagamento (o l'appagamento temporalmente « infinito ») di un'inclinazione dopo l'altra lascia insoddisfatto il soggetto che vuole. La soluzione sembra essere riposta in un appagamento universale, in cui le soddisfazioni delle inclinazioni particolari sono reciprocamente armonizzate per mezzo di mutue limitazioni, subordinazioni e sovraordinazioni. Una generalizzazione del genere, la *felicità* del XVIII secolo, è l'espressione adeguata dell'universalità razionale che è propria dello spirito pratico?

Nel § 479 Hegel ripete la critica kantiana della dottrina della felicità nel quadro della propria logica del concetto. Come armonizzazione empirica delle molte particolarità, la felicità non è un concetto autentico. Né limitazioni qualitative e quantitative, né la rinuncia ad una particolarità determinata per dare spazio ad altre determinazioni produrranno mai una totalità, poiché manca ad esse un principio universale, una vera ἀρχή o un'origine. Il contenuto della felicità deve abbracciare l'intero delle tendenze *particolari* dell'uomo. Se fosse vero che la felicità costituisce il culmine dello spirito pratico soggettivo, la ragione non sarebbe altro che un pensare formale, che serve a mediare gli impulsi l'uno con l'altro. La struttura dell'arbitrio sarebbe allora la struttura dell'elemento pratico. Sia nella psicologia, sia anche nell'etica l'elemento decisivo consisterebbe nell'appagamento di preferenze soggettive e contingenti. Se la felicità è l'elemento supremo, il realismo soggettivistico è inevitabile.

Al § 480 si dice che l'*universalità* empirica della felicità è solo uno pseudoconcetto, essendo contraddistinta come « universalità solo rappresentata ed astratta ». Anche gli altri momenti appartenenti al concetto vero sono esposti nella felicità solo in un modo astratto e rappresentato, non in un modo pensato o concepito: il momento del *particolare* è contenuto nella felicità come una molteplicità di inclinazioni che si limitano reciprocamente e che devono essere tanto prese in considerazione quanto ignorate. Si devono appagare le proprie inclinazioni, ma che queste inclinazioni determinate debbano essere soddisfatte è qualcosa di contingente. Si può altrettanto bene limitarle, o rinunciare ad esse, per tener dietro ad altre inclinazioni invece che ad esse. La *singolarità* è presente nell'arbitrio, che mediante la sua scelta singolarizza in un appagamento determinato le inclinazioni particolari nell'orizzonte della felicità a cui aspira. I tre momenti del concetto — universalità, particolarità e singolarità — sono presenti, ma essi non costituiscono un'ulteriore unità né un sillogismo, poiché non si sviluppano necessariamente dalla vera universalità della ragione. L'universalità realizzata nella felicità è puramente formale; il suo contenuto non può essere dedotto da essa, ma può essere dato solo immediatamente (*a posteriori*) nelle inclinazioni contingenti e soggettive. L'arbitrio non conosce dunque una norma a cui potersi orientare nel suo scegliere. Come arbitrio non sa nulla dell'imperativo categorico. La felicità è solo una rappresentazione del vero compimento della volontà (così come la religione è solo una rappresentazione del vero compimento dell'intero spirito). Essa contiene dunque il concetto vero nella forma di una traduzione semplicemente empirica e perciò inadeguata.

La vera universalità o « la verità », in cui sono contenute le inclinazioni particolari e le singole decisioni dell'arbitrio come momento della sua autodifferenziazione e singolarizzazione e da cui sono dedotte, è la volontà razionale e veramente universale, che determina *se stessa* a quelle particolarità empiriche e decisioni singole: il concetto vero o realizzato dalla volontà, la cui struttura astratta o « pura » è stata definita nei §§ 468-469 ed è ora ritornata a se stessa dalle sue forme di esistenza inadeguate e tuttavia necessarie, ovvero è divenuta « concreta ». Il superamento e la trasformazione dell'arbitrio nella volontà, che dà a se stessa il suo contenuto, costituisce *la libertà*.

Anche a questo proposito Hegel segue Kant, ma egli supera l'opposizione tra felicità ed autonomia: 1) contrassegnando la felicità come la rappresentazione inadeguata del concetto vero e 2) dicendo che la libertà, ovvero la volontà che vuole sé e si realizza, determina *se stessa* necessariamente alle inclinazioni particolari ed alla loro connessione empirica. Al livello della libertà le soddisfazioni particolari e la felicità non costituiscono più il fine *supremo*, però la volontà libera le approva come fini propri e necessari, anche se subordinati. Anche Kant aveva messo in evidenza la tensione umana alla felicità come un tendere « naturalmente necessario » inerente all'essenza dell'uomo e da ciò aveva tratto un diritto ed una virtù nella sua *Metafisica dei costumi*. L'unità concettuale di libertà e felicità non poteva però avere per lui lo stesso significato che ha per Hegel, poiché la verità della sensibilità non è già contenuta secondo Kant nella ragione che si conosce.

c) Lo spirito libero (§§ 480-482)

Il concetto formale della volontà si è realizzato passando attraverso gli affetti e la libertà di scelta fino al volere se stesso e quindi fino all'autodeterminazione razionale. La volontà vuole solo se stessa. Il sentire si manifesta ora come semplice espressione dell'identità della volontà con se stessa. La compiuta autodeterminazione si è rivelata in quanto suprema libertà. Certo la filosofia dello spirito soggettivo si limita al lato formale dello spirito, ma siccome la forma della volontà si è sviluppata fino al volere di sé, siamo ora pervenuti all'identità fondamentale (non ancora dispiegata e però immediata) di forma e contenuto: la volontà (forma) vuole il suo proprio essere, la sua essenza ed il suo concetto (contenuto). Il contenuto voluto *è* lo stesso che la forma che vuole. La struttura della ragione (cfr. §§ 438-439) si è realizzata nello spirito pratico (§ 480): il formalismo (cfr. § 469) e quindi la contingenza del contenuto, a cui il sentimento e gli impulsi tendono, sono superati.

Dal momento che la volontà libera è derivata dal pensare autodeterminantesi dell'intelligenza (§ 468) e custodisce in sé questo pensare come pensiero razionale che è divenuto anche *pratico*, essa costituisce non solo la realizzazione del concetto di volontà, ma anche l'unità di intelligenza e volontà, che già nel § 468 è stata messa in evidenza come l'identità di entrambe. In quanto tale, la volontà è l'autodeterminazione realizzata, che pensa e vuole sé, ovvero è la *libertà* stessa. Nel loro compimento la volontà pensante e l'intelligenza libera sono la stessa cosa. Per questo la volontà *realmente* libera è la realizzazione dell'« unità dello spirito teoretico e pratico » (§ 481), stabilita nel § 443. La fine della psicologia è ritornata all'inizio. Alla fine della filosofia dello spirito soggettivo la libertà, che nei §§ 381-382 è stata definita « l'essenza » dello spirito in generale, è determinata — per lo meno in modo astratto — secondo la sua struttura formale e secondo il suo contenuto. Il pensare dell'intelligenza sembra essere solo un momento di questa libertà, mentre la volontà, che è il suo aspetto pratico, viene difficilmente distinta da essa.

Hegel ha realmente riconosciuto lo spirito come l'unità originaria e compiuta dell'elemento teoretico e pratico o oscilla tra un'interpretazione volontaristica ed una intellettualistica? La tematizzazione dello spirito oggettivo e assoluto e la loro relazione daranno una risposta a questa domanda e la risposta sarà forse diversa da quella della psicologia.

Il paragrafo 482, che chiude la prima parte della filosofia dello spirito, guarda indietro all'idea, in cui la *logica* è stata compresa, e avanti allo *spirito assoluto*, in cui il sistema trova il suo compimento. Lo spirito che si sa libero, come volontà che è razionale o che si pensa, in quanto sintesi di tutti i momenti dello spirito soggettivo — l'individuo umano dunque — secondo il suo concetto (*in sé* o per quello che il suo concetto comprende) è la stessa cosa che l'idea. La distinzione tra lo spirito e l'idea consiste solo nel fatto che l'idea non aveva ancora nella logica proprio nessuna esistenza esteriore ed all'inizio della filosofia dello spirito (§ 381) aveva certo dietro di sé ed in sé l'estraneazione naturale nella natura, ma solo adesso, nello spirito libero, si è data un'esistenza adeguata, sebbene questa esistenza sia anche qui ancora formale. Ciò che ancora manca all'idea (ed allo spirito) è il contenuto concretamente determinato, nel quale essa ritrova se stessa. L'idea ottiene la sua concretizzazione completa tanto formale quanto contenutistica solo nello spirito assoluto, che è così anche il compimento sotto l'aspetto del contenuto pienamente concreto e quindi per sé essente dello spirito soggettivo libero. Con lo spirito libero siamo pervenuti dunque al centro dell'universo e del sistema: esso sta a metà strada tra il pensiero puro e l'assoluto vivente, che si pensa e vuole e che gode di sé, ovvero tra il λόγος del pensiero logico ed il νοῦς del sapere assoluto. Chi comprende il concetto dello spirito libero, comprende la totalità a partire dall'essere fino a Dio.

Capitolo III

COME SI RAPPORTANO
L'UN L'ALTRO LO SPIRITO SOGGETTIVO,
OGGETTIVO E ASSOLUTO?

La domanda che costituisce il titolo di questo capitolo
non può essere trattata in maniera abbastanza approfondita
entro i limiti di queste lezioni. La risposta che segue qui
riposa su analisi, di cui sono pubblicati alcuni frammenti,
mentre altri aspettano ancora un'ultima redazione [1]. Dopo le
argomentazioni di carattere generale, con le quali inizia questo

[1] Cfr. A. TH. PEPERZAK, *Le jeune Hegel et la vision morale du
monde*, préface de P. Ricoeur, Den Haag 1969[2]; ID., *Der Staat und
Ich*, « Hegel-Jahrbuch », 1975 (Referate des X. Internationalen Hegel-
Kongresses in Moskau), Köln 1976, pp. 83-104; ID., *Philosophy and
Politics. A Commentary of the Preface of Hegel's Philosophy of Right*,
The Hague 1986; ID., *Hegel over oorlog en vrede*, « Tijdschrift voor
Diplomatie », 7 (1981), pp. 679-687; ID., *Religion et politique dans la
philosophie de Hegel*, in G. G. PLANTY-BONJOUR (a cura di), *Hegel et
la Religion*, Paris 1982, pp. 37-67; ID., *Zur Hegelschen Ethik*, in *Hegels
Philosophie des Rechts*, Stuttgart 1982, pp. 102-131; ID., *Hegels Pfli-
chten- und Tugendlehre*, « Hegel-Studien », 17 (1982), pp. 97-177; ID.,
The Foundations of Ethics according to Hegel, « International Philosophical Quarterly », 23 (1983), pp. 349-365; ID., *Hegel et la culture
moderne*, « Revue Philosophique de Louvain », 84 (1986), pp. 5-24; ID.,
Moralische Aspekte der Hegelschen Rechtsphilosophie, Bochum 1984.

capitolo e nelle quali attingo anche dai *Lineamenti di filosofia del diritto*, porrò l'accento sulla relazione tra spirito oggettivo e assoluto mediante un commento più particolareggiato dei paragrafi 542-552.

1. IL FONDAMENTO DELLA FILOSOFIA SOCIALE HEGELIANA

Contrariamente a tutte le forme di fondazione del diritto, che procedono da una situazione pregiuridica o « naturale », e contrariamente a tutte le forme di un convenzionalismo nel senso di Hobbes o Locke, la teoria hegeliana dello spirito oggettivo non fornisce una genesi per così dire storica dello Stato e del diritto, ma una deduzione di quei contenuti della volontà razionale (o dello spirito libero), che, come diritti e doveri, si impongono necessariamente allo spirito finito (nella forma di singoli uomini, famiglie, corporazioni o popoli). La « natura » è l'elemento violento, da cui devono *uscir fuori* essenze spirituali[2] per costruire un proprio mondo umano a partire dalla libera origine dello spirito. Il contratto — cioè l'arbitrio su cui ciascun contratto poggia — è il principio dell'atomismo e dell'anarchia. Solo l'essenza razionale della libertà stessa può essere la norma, in nome della quale un ordine sociale può essere realizzato. La libertà, che per mezzo della rivoluzione francese è divenuta una realtà politica, concernente la storia mondiale, non è una liberazione verso la mancanza di leggi, ma è l'esistenza empirica del νοῦς anassagoreo, reggitore del tutto[3]. La giustificazione principale di questa tesi della storia della filosofia hegeliana è contenuta

---

[2] Cfr. la IX tesi per la discussione dell'abilitazione (27.8.1801): « Status naturae non est injustus et eam ob causam, ex illo exeundum » (K. ROSENKRANZ, *G.W.F. Hegels Leben*, p. 159) con la sua trattazione della tesi di Hobbes « e tali statu exeundum » in *Geschichte der Philosophie, Werke* XV, p. 444 (Glockner 19, p. 444).

[3] Cfr. *Philosophie der Weltgeschichte* (Lasson), pp. 926 e 920-925.

nei paragrafi della psicologia trattati sopra. L'intero della filosofia pratica di Hegel (cioè la sua etica, la sua filosofia della società e della storia) sta o vien meno insieme con la distinzione radicale tra arbitrio (o libertà di scelta) e libertà vera e con la priorità di quest'ultima. (Che si incontri la decisione sui fondamenti della filosofia pratica all'interno della psicologia hegeliana, conferma la mia tesi secondo cui quest'ultima deve essere letta al tempo stesso come un'etica fondamentale).

2. SUPERAMENTO DEL FORMALISMO?

Nel § 481 Hegel ha scritto che la volontà libera che vuole se stessa è il superamento del formalismo: quando il circolo formale si chiude, « si rovescia nel contenuto, poiché secondo la logica (e precisamente poiché esso ha la struttura del concetto) la forma ritornata in sé si determina necessariamente o si 'particolarizza' ». L'identità di forma e contenuto raggiunta nel § 481 non è che un inizio: in quanto identità astratta e la più immediata, essa non manifesta ancora *che cosa* sono i contenuti concreti che dobbiamo volere. All'inizio del nuovo sviluppo non sta nient'altro che la volontà singola di cui conosciamo la struttura e che ora si esprimerà e si metterà in luce nell'oggettività di un mondo spirituale. Il passaggio dallo spirito soggettivo libero, il quale secondo il § 482 è « in sé l'idea », al mondo oggettivo del suo diritto è una ripetizione ad un livello più elevato del passaggio dall'idea logica alla natura della filosofia della natura.

Il difficile compito, dinnanzi al quale Hegel si vede posto, consiste nel dover dedurre i contenuti particolari, nei quali la volontà libera deve specificarsi, cioè i diritti e i doveri determinati, dalla semplice forma della volontà. Questo compito deriva direttamente dal principio logico dell'identità di forma e contenuto.

69

Per tutta la sua vita Hegel ha rinfacciato a Kant di non aver superato filosoficamente il formalismo della ragion pratica, ma di aver applicato semplicemente l'imperativo fondamentale da lui enunciato ad un materiale dato *a posteriori*, empirico, fattuale e contingente. In Kant, diceva Hegel, l'imperativo categorico ha svolto nell'elemento pratico la stessa funzione svolta dal principio dell'identità astratta nell'elemento teoretico: *se* l'istituzione della promessa si dà in una comunità, *allora* si devono mantenere le proprie promesse; ma come sapere che deve esserci qualcosa del genere della promessa? Kant ha accettato l'ordinamento morale e giuridico esistente di fatto e lo ha sottoposto a giudizio solo in base ad un criterio universale. Il suo pensiero ha continuato a dipendere dalla contingenza di ogni elemento storico ed egli ha tradito il vero universale, così come lo aveva pensato nel concetto dell'autonomia razionale [4].

Ma è capace lo stesso Hegel di dedurre i lineamenti di un sistema di diritto concreto e i doveri di una morale universalmente valida dall'autospecificazione necessaria della volontà razionale? Parliamo di lineamenti, poiché un filosofo non è in grado di dedurre la concretizzazione ultima delle regole morali e giuridiche; questa appartiene all'ambito delle circostanze naturali, del diritto *positivo* e dei costumi storicamente positivi, come Hegel ha esposto all'inizio dei *Lineamenti di filosofia del diritto* (§ 2).

Hegel ha preso da Kant il primo passo che egli compie sulla via della concretizzazione dell'universale. La volontà singola, che vuole necessariamente la sua libertà, è qualcosa che deve essere rispettata. (Non tengo conto qui del problema se la « rispettabilità » della volontà singola possa essere pensata senza pensare già una molteplicità di volontà singole,

---

[4] Questa critica dell'etica kantiana si mantiene dal 1802 fino alla fine; cfr. *Über die wissenschaftlichen Behandlungsarten des Naturrechts...*, G. W. 4, pp. 434 sgg.

cioè se la molteplicità umana sia secondo il concetto un pensiero anteriore o posteriore). L'esigenza che la volontà singola debba essere stimata o rispettata, è il lato della libertà del volere rivolto « verso l'esterno ». Il diritto non è nient'altro che *l'esserci* o *l'esistenza della libertà* (§ 486). Se le cose stanno così, Hegel può formulare l'imperativo fondamentale press'a poco come Kant: « Sii persona e rispetta gli altri in quanto persone » (*Lineamenti*, § 36: cfr. *Enc.* § 488).

È dato con ciò il principio normativo di un mondo che consiste di persone singole o soggetti giuridici. Tutte queste persone devono riconoscere i loro — reciproci — diritti. Il diritto di ogni singola persona è concreto per il fatto di darsi un'esistenza empirica nella *proprietà*. La libertà della persona singola si manifesta (cfr. *Enc.* §§ 383-384) immettendosi in una cosa, in un frammento del mondo, nel corpo o nella propria capacità di lavoro: non devi sottrarmi il mio corpo, la mia salute, il mio mondo ecc., ma devi rispettarmi *in quanto proprietario* (*Enc.* §§ 488-489).

Il mondo delle molte persone singole, che si contrappongono in quanto soggetti che avanzano pretese giuridiche, costituisce un pluralismo atomistico, le cui relazioni possono essere regolamentate solo dall'arbitrio dei singoli (§§ 490-492). Questa è la verità relativa delle teorie contrattualistiche, che hanno eletto il contratto come modello per la loro fondazione. In fondo però esse sono dalla parte del torto, poiché l'unità di una vera comunità non può mai essere fondata sulla contingenza dell'arbitrio.

La contingenza non è superabile al livello or ora raggiunto del diritto reciproco delle singole persone. L'imperativo fondamentale del rispetto reciproco *può* essere realizzato — ed è anche realizzato, *se* tutti i partecipanti sono realmente razionali — ma a questo livello la sua realizzazione non è necessaria. Hegel è persino dell'opinione che la contingenza, che qui ancora domina, non include semplicemente la possibilità astratta, ma la necessità delle azioni illegali (cfr. *Enc.*

71

§ 495; *Lineamenti* §§ 82, 86, 89, 103). Secondo la sua deduzione, il delitto appartiene al mondo del diritto tanto essenzialmente quanto il comportamento conforme alla legge (*Enc.* §§ 495-499; *Lineamenti* §§ 82-83, 95, 97, 104). Lo spirito libero però non può semplicemente sopportare la contraddizione rappresentata dal delitto: deve invece toglierla, punendo il delitto (*Enc.* § 500; *Lineamenti* §§ 97-102). Questo presuppone tuttavia una volontà che ristabilisca il diritto infranto. Poiché il concetto della libertà non *deve* (*soll*) solo realizzarsi, ma — in quanto concetto della *causa sui* che si autodetermina o del νοῦς attivo — si realizza *necessariamente*, è necessario che ci sia un volere, che rispetta effettivamente il diritto ed aborrisce il torto. Questo volere è la *volontà buona* (*Enc.* § 502 sgg.), che Hegel nei *Lineamenti* (§§ 103-104) rappresenta simbolicamente mediante il giudice.

Nel capitolo sulla *moralità* (§§ 503-512) Hegel tratta della struttura formale della volontà moralmente buona e cattiva, servendosi delle analisi di Aristotele e di Kant. Molto è solo un ulteriore sviluppo dei paragrafi sullo spirito pratico soggettivo, di cui si è già discusso. La questione di come si perviene dal formalismo della ragion pratica o della volontà razionale alla determinazione del suo contenuto concreto, sembra essere continuamente differita, finché alla fine nell'ultima parte della filosofia dello spirito oggettivo, nel capitolo sull'eticità, riceve una risposta suddivisa in due parti.

La prima metà della risposta di Hegel chiama buono quell'agire che si accorda con le istituzioni ed i costumi « etici » (*sittlich*), cioè familiari, giuridici, economici e politici, che sono momenti necessari dell'organizzazione di uno Stato. La legittimazione di questa risposta consiste nel fatto che Hegel a) deduce la necessità di un'unità collettiva in quanto sintesi di singoli soggetti giuridici, b) mostra come una simile collettività debba articolarsi in istituzioni determinate, mediante cui essa deve assegnare ai singoli membri della collettività i loro compiti specifici e c) deduce i costumi storicamente sviluppati ed il carattere specifico della collettività come un momento necessario dello spirito del mondo nella sua storia. I diritti ed i doveri dei singoli uomini discendono dalla loro partecipazione alla vita della collettività presentata, che Hegel identifica senz'altro con lo Stato nazionale (*Lineamenti* § 156; *Enc.* §§ 514, 517, 535, 547-548). Hegel segue lo schema platonico dell'ἑαυτοῦ πράττειν, che costituisce il nocciolo della δυκαιοσύνη. Anche per Hegel la rettitudine è la virtù centrale; anche per lui l'uomo buono coincide con il buon cittadino [5].

Se Hegel ha effettivamente mostrato la necessità delle istituzioni da lui indicate, ha ragione di asserire di aver superato il formalismo. In quanto lo spirito libero si è realizzato da un lato come singola volontà libera e dall'altro si è determinato come comunità in sé articolata, l'accordo tra i due è necessario per lo meno in linea di principio. Però che la comunità giuridica debba essere identificata con l'organizzazione di un *popolo*, non viene dedotto da Hegel, ma semplicemente asserito. Il concetto del popolo (ma si tratta di un concetto?) non viene dedotto da Hegel. Forse si potrebbero trovare alcune indicazioni per una deduzione del genere nell'*antropologia* (§§ 393-394) e nella *filosofia della storia universale*, ma in generale manca ogni tentativo di dimostrare che l'unione delle singole persone giuridiche in un soggetto giuridico collettivo non può essere altra che quella dell'unità del popolo.

Il medesimo positivismo appare nella seconda metà della risposta hegeliana al problema del formalismo: l'uomo individuale deve adeguarsi ai *costumi* del suo popolo. Anche qui

[5] Cfr. la mia analisi in *Zur Hegelschen Ethik*, in *Hegels Philosophie des Rechts*, Stuttgart 1982, pp. 103-131; *Hegels Pflichten- und Tugendlehre*, « Hegel-Studien » 17 (1982), pp. 97-117; *The Foundations of Ethics according to Hegel*, « International Philosophical Quarterly », pp. 349-365.

Hegel si appropria della fatticità storica dell'esistente per dedurre da ciò concreti diritti e doveri degli individui. È vero che nella filosofia della storia universale egli fornisce indicazioni per una comprensione del carattere dei diversi popoli e cerca di spiegare la successione nel tempo delle epoche culturali come più o meno necessaria, ma bisogna già essere molto benevoli o avere già accettato in partenza per considerare queste indicazioni come una deduzione.

Benché Hegel abbia indagato instancabilmente le connessioni tra i momenti della vita pratica di individui e collettività e le abbia ricostruite dal punto di vista concettuale, tuttavia alla fine pare che abbia fatto lo stesso che aveva rinfacciato a Kant. Il principio a cui si richiama per dedurre le determinazioni oggettive della libertà dal concetto formale dello spirito, inteso come volontà libera, non era solo la fatica del concetto, ma la sua convinzione nazionalistica e « patriottica » (§§ 515-516, 538; *Lineamenti* § 268), un elemento particolare dunque, del quale egli non ha dimostrato la razionalità. Il *popolo* ed i *costumi* sono rimasti contingenze, che, secondo le regole della logica hegeliana, non possono sostenere la filosofia dello spirito *universale*.

3. DALLO SPIRITO OGGETTIVO ALLO SPIRITO ASSOLUTO (commento ai §§ 545-552)

Per una corretta comprensione degli ultimi otto paragrafi della filosofia dello spirito oggettivo, così come viene presentata nell'*Enciclopedia*, è importante non perdere di vista la suddivisione della sezione sullo Stato (§§ 535-552), cioè della terza parte dell'ultima sezione (§§ 513-552).

« Lo Stato » viene trattato in tre parti:

α) diritto interno dello Stato (§§ 537-546);
β) il diritto esterno dello Stato (§ 547);
γ) la Storia universale (§§ 548-552).

Il commento seguente pone l'accento sui problemi del diritto esterno dello Stato, che viene trattato in un unico paragrafo, e sul significato della storia per il superamento dello spirito oggettivo nello spirito assoluto. Comincio con il penultimo paragrafo del diritto interno dello Stato (§ 545) e seguo passo passo i paragrafi rimanenti.

§ 545:

Nei paragrafi 537-546 Hegel ha sviluppato i lineamenti dello Stato nazionale. La vita etica, intesa come oggettivazione della libertà soggettiva, si è esposta qui come una totalità in sé conchiusa e compiuta. Nel § 514 è stato detto (ma non dedotto) che « la *sostanza* che si sa *liberamente* [...] ha realtà in quanto spirito di un *popolo* ». In quanto tale nell'ambito di un popolo particolare lo spirito si scinde in persone singole; ma, poiché queste sono razionali, riconoscono lo spirito che si dà esistenza in questo popolo « come sua propria essenza », come suo « scopo finale assoluto nella realtà » e come suo « *al di qua* raggiunto ». Lo spirito del popolo è dunque il potere che tiene unite le persone indipendenti. Nel § 545 Hegel afferma, senza dimostrarlo, a) che uno Stato è possibile solo in quanto organizzazione di un singolo popolo e b) che un popolo è determinato in modo necessario *naturalmente* (cfr. §§ 394 e 548). Per questo motivo ogni Stato che è un intero in sé compiuto, è di nuovo anche una realtà *immediata*, che si vede messa a confronto con altre realtà simili. La realtà etica appare dunque come una molteplicità di realtà immediate. La libertà oggettiva consiste nella forma di singoli popoli individuali, che a causa della loro libertà possono essere chiamate « persone ».

Nel § 488, all'inizio della sezione del diritto astratto, gli uomini singoli appaiono come *persone*, cioè come individui singoli, i quali sanno di essere liberi e, in quanto tali, di esigere i loro diritti. Nel diritto astratto le singole persone si contrappongono reciprocamente con pretese eguali. La loro legge è l'imperativo categorico: « sii persona e rispetta gli altri come persone » o più semplicemente: rispetta ogni persona. Questa relazione di singole persone reciprocamente escludentisi, che si devono rispettare reciprocamente — la relazione tipica di un *dover essere* astratto, non ancora realizzato né garantito — ritorna al livello dei popoli organizzati come Stati, che danno a se medesimi la legge. Ciascun popolo è una totalità in sé compiuta (una *societas perfecta*) e come tale un'individualità escludente tutte le altre totalità.

Il significato del termine « persona » cambia, se lo trasponiamo dal livello dei soggetti giuridici individuali al livello delle persone collettive organizzate politicamente. Lo stesso accade con i termini « libertà » o « autonomia » e « singolarità ». L'applicazione dello schema del diritto astratto alla relazione tra Stati dipende da un'analogia tra l'individuo umano e lo Stato sovrano che racchiude in sé tutti i suoi cittadini.

Se gli Stati sono le istanze *più elevate* della libertà politica, oggettivata, garantita e realizzata per mezzo di istituzioni razionali, non è possibile una soluzione delle loro opposizioni al livello dello spirito oggettivo; non si lasciano rendere momenti di un intero praticamente reale ancora più elevato.

Il diritto *astratto* dei singoli uomini, fondato solo sull'imperativo categorico, ha mostrato le sue debolezze nel non potersi assicurare contro la contingenza dell'arbitrio umano (§§ 495-496). Il torto poteva volgersi contro il diritto richiesto secondo parecchie varianti (§§ 497-499). Ciò costituiva necessariamente il passaggio ad una sfera più elevata ed il superamento del diritto in quanto semplicemente astratto nella sfera più elevata del diritto concreto della sfera etica, garantito istituzionalmente e ristabilentesi di contro al torto. Il giudice, che nei §§ 103-104 dei *Lineamenti* è presentato come rappresentante di questo diritto concreto, è una volontà concreta, che contiene i seguenti momenti:

a) è una volontà *singola* (allo stesso modo di tutte le persone della sfera del *diritto astratto*);

b) vuole il diritto e non il torto, cioè è una volontà *moralmente buona* (quest'ultima è stata tematizzata subito dopo il dover essere del diritto astratto nel capitolo sulla *moralità*);

c) la sua singola volontà rappresenta la volontà collettiva della comunità concretamente giuridica, cioè *etica*, la cui struttura si mostra nell'organizzazione della società civile e dello Stato. Il giudice sintetizza dunque i tre livelli del diritto: a) il diritto astratto, b) la moralità e c) l'eticità. È la singolarizzazione dell'intero etico, senza il quale non potrebbe nemmeno esistere come giudice.

Da questa analisi sembra scaturire un'aporia per la relazione reciproca dei singoli Stati: *o* devono essere giudicati da un giudice più elevato e, se necessario, puniti o costretti al ristabilimento del diritto; *o* alla fin fine non c'è nessuna possibilità di assicurare il diritto come un qualcosa di concreto, — ma ciò vorrebbe dire che la giustizia in fondo non è una necessità né un concetto vero, ma è semplicemente contingente ed è una questione dell'arbitrio.

La prima possibilità viene esclusa da Hegel. Nei *Lineamenti* (§§ 321-323) egli cerca di dimostrare l'impossibilità di un giudice supremo al di sopra degli Stati congiungendo egli la sovranità dello Stato con la singolarità e la singolarità con la varietà di parecchi Stati e con la contrapposizione che ne deriva. Sembra che la sua dimostrazione non sia riuscita, perché la sua argomentazione contenuta nella sezione sul *diritto astratto* e la sua intera logica si fonda appunto sul pensiero che la singolarità esclusiva (per esempio la singolarità delle persone del diritto astratto) non esclude affatto, ma *include* il fatto che esse siano una sola ed identica cosa all'interno di una totalità più elevata (etica, per esempio). Se si vuole dimostrare che l'opposizione di popoli individuali come « persone » del diritto internazionale (§ 545) non consente nessuna sintesi più elevata, si deve elaborare meglio la distinzione tra la libertà di un singolo individuo e quella della sovranità statale (essendo quest'ultima concreta nella volontà singola del capo dello Stato). Con la sua tesi della impossibilità di una istanza giudiziaria che sia più elevata degli Stati, Hegel ha identificato troppo in fretta la situazione di fatto del mondo di allora con una realtà razionale.

Che i popoli, che si sono organizzati come Stati, stiano reciprocamente, in quanto singoli, in una relazione immediata, significa secondo Hegel che la situazione internazionale riproduce ad un livello più elevato lo stato di natura descritto da Hobbes. Come il torto appartiene al diritto astratto, così i conflitti internazionali appartengono al dato di fatto storico che ci sono molti Stati nazionali. Poiché in questi conflitti non ci può essere mediazione ad opera di un giudice supremo, essi non sono convertibili in una contesa giuridica. Ciascun conflitto porta ad una contesa non mediata tra le volontà collettive che sono in conflitto. La relazione tra Stati può dunque essere solo una relazione della violenza.

Bisogna aprire qui una parentesi. Come il *torto* (§ 495) e il delitto (§ 495) nel primo capitolo della filosofia dello spirito oggettivo, allo stesso modo del *male* (§ 512) nel capitolo sulla moralità, così nell'ultimo capitolo della filosofia dello spirito oggettivo la *guerra* viene dedotta come una specie determinata di violenza e irrazionalità. Tutte queste deduzioni dimostrano qualcosa di troppo. Dalla contingenza della volontà singola nella sua relazione alla libertà universale (nelle figure del diritto astratto, del bene morale e del dover essere sovrastatale) non deriva nient'altro che la *possibilità* o la *minaccia* del torto, del male, della guerra. Hegel pone tuttavia la loro necessità, poiché la negatività assoluta dell'idea (come libertà, diritto o spirito) ne ha bisogno come punti di svolta negativi del suo ritorno a sé. Anche le figure del male sono momenti essenziali dell'autorealizzazione dell'assoluto. Satana è il servo di Dio.

78

Lo *status naturae* internazionale ha come conseguenza per la vita interna dello Stato che nello Stato deve esserci uno « stato del valore ». Qui Hegel segue la specificazione di Platone della δυχαιοσύνη o della « rettitudine » per mezzo dei compiti principali che lo Stato deve assolvere e per i quali educa « ceti » particolari. Il nesso essenziale che collega la classe militare alla situazione internazionale dimostra che lo Stato non è senz'altro conchiuso e compiuto in sé. La sua conservazione, in quanto scopo fondamentale dello Stato, comprende una relazione ad altri Stati. L'esistenza di altri popoli e la guerra incombente od effettiva sono momenti essenziali della sua propria costituzione interna. Ciò significa dunque che la potenza dell'arbitrio dominante a livello internazionale si fa sentire anche *all'interno* di ogni Stato. L'arbitrio di uno Stato in relazione agli altri influenza la sua vita *interna*.

§ *546*:

La tesi principale della filosofia del « diritto interno dello Stato » asseriva che il singolo cittadino guadagna la sua perfezione *pratica*, cioè la propria compiuta libertà, mediante la dedizione patriottica ai suoi doveri civici. In quanto momento singolo egli vive la vita dell'universale. La conciliazione sembra raggiunta nell'intero nazionale. Invece della negazione *concreta* (o assoluta), che garantisce all'interno dello Stato l'identità della libertà collettiva e di quella individuale, si mostra adesso (non solo in relazione ad altri Stati, ma anche nella relazione dello Stato ai propri cittadini) una nuova forma di negatività *astratta*. Poiché la libertà dello Stato in quanto intero è il suo scopo supremo, ed il suo diritto è quindi per esso il diritto supremo, si deve rinunciare all'indipendenza e al diritto soggettivo del singolo cittadino, se la situazione politica costringe ad una scelta tra i due. In nome della libertà universale, che è al tempo stesso la libertà più profonda del singolo cittadino, il singolo deve accettare la sua morte, se è inevitabile. Se non lo facesse, mostrerebbe con ciò che si dà da fare più per i suoi scopi particolari (per la soddisfazione dei suoi impulsi e dunque per il sentimento del piacevole) che per la causa della libertà universale. Secondo Hegel l'« esistenza naturale » di un singolo uomo perde il suo diritto, se viene a conflitto con il diritto dello Stato in quanto tale. Hegel sostiene qui, per lo meno implicitamente, questa tesi: l'universalità (cioè la vera libertà) dell'individuo si dimostra mediante la rinuncia alla sua naturale « esistenza particolare ». E tuttavia ciò sembra essere un'illusione, a mala a pena pensabile anche concettualmente come una vera realtà in atto. Nella terminologia della psicologia si potrebbe dire che la felicità viene scambiata per la libertà: ma come può un morto esser libero? Sembra possibile solo se la sua intera essenza (e dunque tutto ciò che in lui non è « vano ») è del tutto identica all'intero (in questo caso: lo Stato) o a parti dell'intero (per esempio alla sua famiglia o alla sua classe), che sopravvivono alla sua morte. La « negatività astratta » che si manifesta nella guerra, è piuttosto una nuova opposizione inconciliabile nella dimensione dello spirito *pratico*, un'opposizione che tiene distinti l'uno dall'altro l'universale (lo Stato) ed il singolo, senza poterli conchiudere in una figura della volontà libera. La filosofia dello spirito oggettivo come la filosofia della natura va a finire in un vicolo cieco. Come la natura, nella figura del singolo essere vivente, doveva morire (*Enc.* §§ 375-376) per far posto allo spirito e per cominciare in esso un'esistenza più elevata dello spirito trasfigurato in *mondo*, così l'oggettività della libertà, dapprima nella figura dei singoli popoli, deve ora piegarsi allo spirito assoluto e tramontare, prima di essere trasfigurata a saggezza compiuta nello spirito assoluto.

§ 547:

Non solo i singoli uomini, ma anche l'autonomia degli Stati nazionali delineati nel « diritto interno dello Stato » come compimento della libertà oggettiva, viene minacciata dalla guerra. È ingiusto combattere contro uno Stato senza motivi adeguati, perché ciascun popolo organizzato come Stato ha il diritto di essere riconosciuto come una persona indipendente. In quanto tale questo diritto è solo un dover essere astratto. Come può questo dover essere venir trasformato nell'essere di una realtà in atto concreta? Tutti i tentativi di realizzare il diritto internazionale restano semplici tentativi. *Nello spirito oggettivo non c'è nessuna conciliazione definitiva.*

Che « il riconoscimento reciproco dei liberi popoli individuali sia realizzato » e « stabilito [...] per mezzo di *trattati di pace* », può essere un fatto che accade spesso. Come constatazione universale è però una dichiarazione troppo ottimistica, che non viene legittimata da nessuna necessità logica. Se Hegel avesse seguito qui la stessa logica presente nelle sue trattazioni del delitto e della punizione, avrebbe dovuto dedurre piuttosto il fatto che il riconoscimento reciproco e la pace *non* possono realizzarsi qui proprio perché (o se) non c'è *nessuna* istanza *pratica* che vuole la giustizia (dunque il dover essere). Il rimando di Hegel alla « lotta », che è stata trattata nella fenomenologia (§ 430), non spiega nulla, perché Hegel ora non mostra affatto in che modo il riconoscimento sia *necessario*, ma si richiama semplicemente a fatti storici contingenti. I trattati di pace, in quanto contratti, si fondano sull'arbitrio delle nazioni interessate. Come « il cosiddetto diritto dei popoli » ed « i costumi » (internazionali), essi sono fenomeni contingenti, che certo cercano di realizzare il dover essere sovrastatale, ma non possono realizzare la concretizzazione razionale della libertà in un modo soddisfacente. Nei paragrafi seguenti Hegel metterà in evidenza questo fatto dandogli una maggiore chiarezza. Invece di finire con il riconoscimento ed il rispetto, la guerra può anche terminare con la sottomissione e persino con la distruzione di un intero popolo. La storia politica sembra essere un gioco dell'arbitrio e di altre figure della contingenza, ma ciononostante c'è in essa ragione ed una forma determinata di « diritto » (cfr. § 550).

§ 548:

Come il diritto astratto procede oltre se stesso nella moralità per mezzo della mediazione della volontà giuridica (§ 502; *Lineamenti* §§ 103-104, vedi sopra), così « il diritto esterno dello Stato » oltrepassa se stesso per mezzo del *giudizio universale*. Questo giudizio è la storia, in quanto mediante la « dialettica » delle lotte, vittorie ed assoggettamenti essa giudica i popoli: assolve, condanna o proclama signore. La « dialettica », cioè l'antinomia mediante cui diviene necessario il passaggio ad un livello superiore, consiste nella discrepanza tra l'*universalità* essenziale per la libertà e la *particolarità* delle sue realizzazioni, in cui la libertà minaccia di perdersi. La molteplicità di popoli particolari non è un'espressione adeguata per lo spirito libero. Si ripete ora la spaccatura tra lo Stato ed i cittadini smaniosi di un'esistenza naturale e particolare (§ 546). Anche la particolarità dei singoli popoli si radica nella loro naturalità (§§ 392-394). Hegel sottolinea ora questo aspetto, aggiungendo a questo punto le caratteristiche storiche agli aspetti geografici e climatici dei diversi popoli, di cui si è trattato nell'antropologia (§§ 393-394).

Poiché a livello interstatale l'universalità consiste solo nell'esigenza astratta del riconoscimento reciproco e la spaccatura tra il dover essere di questa esigenza e l'esistenza fattuale dei singoli popoli non può essere tolta in una specie di superstato (Hegel non spiega *perché* un simile intero non sia possibile), l'unica possibilità di una soluzione della dialettica rilevata riposa sulle decisioni di un *tribunale*. La storia universale giudica e condanna tutti i singoli popoli uno dopo l'altro. Essa realizza un universale, che certo si serve del volere e del fare umano, ma al tempo stesso va oltre tutti gli spiriti limitati, senza identificarsi definitivamente con un qualsiasi singolo spirito di popolo. Lo spirito universale è la stessa cosa dell'«umanità»? Ciò che lo spirito è in ultima analisi, lo si decide solo nella filosofia dello spirito assoluto. La rivelazione dello spirito nell'ambito della libertà oggettiva è una rivelazione incompiuta e finita. La sua verità viene alla luce solo al livello superiore.

§ *549*:

La dialettica degli spiriti dei popoli costituisce la storia universale come la «via», il «movimento» e l'«azione», mediante cui lò spirito, in quanto sostanza che vivifica e guida i singoli popoli, libera sé, lo spirito universale, libero ed intelligente. La libertà limitata dei vari tribunali nazionali realizza la vita dello spirito universale nella forma di nazioni dotate di diritto, che insieme costituiscono l'esteriorità reciproca temporale della storia. Lo spirito universale perviene alla conoscenza di se stesso nei popoli che divengono consapevoli di ciò che è accaduto nella loro storia e nella storia universale del mondo. Diventa così manifesto ad esso e a tutti coloro che ne partecipano che cos'è la sua essenza, la libertà (cfr. § 382) e come questa si rivela continuamente. Dopo la rivelazione dello spirito nella sua relazione al mondo (la seconda rivelazione del § 384) appare la suprema rivelazione dello spirito a se stesso (la terza rivelazione del § 384). In quanto impariamo a vedere che e come le diverse storie nazionali costituiscono insieme un'unica realizzazione e manifestazione dell'unico spirito del mondo, partecipiamo all'autoconoscenza suprema: l'autoconoscenza dello spirito assoluto. Non appena questa sarà pienamente sviluppata, cioè alla fine della filosofia dello spirito assoluto, sarà compiuto il programma che è stato tratteggiato nei §§ 381-384.

Che ogni singolo popolo abbia un proprio carattere è una verità empirica, ma che sia con ciò determinato mediante il concetto « a riempire solo un grado [dello spirito del mondo che si rivela] e a realizzare solo un compito dell'intera azione », è difficilmente dimostrabile e sembra anche non accordarsi con i fatti della storia universale. Se in ogni tempo c'è solo *un* popolo che svolge la funzione di un grado dell'autorivelazione dello spirito universale, nasce l'immagine di una « universalità » che si differenzia nella successione temporale delle realizzazioni particolari dell'attività dello spirito. Dal momento tuttavia che il tempo non costituisce una totalità, ma è un processo all'infinito, nella storia non si realizza alcuna universalità dello spirito libero né concreta né concettuale. Sotto questo riguardo la storia universale assomiglia piuttosto all'universalità empirica della felicità.

§ 550:

La liberazione dello spirito, il divenire reale e per sé dello spirito libero, è il diritto supremo. Quest'asserzione è giusta nella misura in cui il « diritto » è (in quanto) l'esistenza oggettiva della libertà e la libertà si realizza in ultima analisi non all'interno dello Stato, ma in una dimensione che la supera.

Lo spirito universale si serve di nazioni determinate per meglio realizzare la sua libertà durante un periodo storico determinato. Il popolo che svolge questa funzione in un'epoca determinata realizzando il progresso della libertà per mezzo delle sue istituzioni, costumi e cultura, è in quest'epoca l'incarnazione dello spirito del mondo. Ad esso conviene dunque, secondo Hegel, il diritto supremo dello spirito del mondo; gli altri popoli non possono far valere il loro diritto al riconoscimento, presentato nel § 545 come esigenza, contro quel privilegio del popolo dominante concesso dalla storia. Poiché Hegel intende come « privi di diritto » gli altri popoli, si ripete a questo livello supremo dell'elemento pratico quello stesso che è stato detto nel § 546 a proposito del diritto dei singoli cittadini nei confronti del loro Stato coinvolto nella guerra: un singolo momento perde il suo diritto, quando entra in un'opposizione *ineliminabile* con il diritto dell'universalità a cui appartiene. È evidente però che il termine « diritto » cambia il suo significato, quando viene trasposto dal dover essere del diritto astratto (internazionale) al livello della fatticità storica. Mentre il diritto stabilito nel § 545 ha ancora una risonanza morale, la « giustizia » della storia universale è un modo crudele e palesemente ingiusto di giudicare e di condannare, che non si cura di obiezioni « filantropiche ». Solo un significato più elevato o più basso di « diritto », « giustizia » e « ragione » di quello definito da Hegel all'inizio della sua filosofia della libertà e del diritto potrebbe legittimare le asserzioni menzionate qui.

Il popolo particolare che rappresenta lo spirito del mondo, ha secondo Hegel tutti i « diritti ». Apparentemente egli ritiene legittimo che il popolo favorito superi gli altri popoli per le sue qualità interiori ed esteriori, compresa la sua forza, così da dominare il mondo. Tuttavia esso non può senz'altro rivendicare un diritto alla vita eterna e la sua ricompensa consiste solo nella gloria (cfr. § 551) perché, dopo che l'opera di cui il popolo è stato incaricato è stata compiuta, tramonterà al pari di ogni altro popolo.

Il diritto supremo ed assoluto si manifesta in questi paragrafi come la realizzazione del piano razionale, che lo spirito (o, in termini religiosi, la provvidenza) porta a compimento non solo mediante gli avvenimenti più grandiosi, ma altrettanto per mezzo degli eventi più crudeli della storia universale. Il piano non va affatto a finire nella realizzazione di un'utopia universale. Una cosa simile è impossibile, perché ogni comunità umana riuscita è condannata già da principio alla morte. L'intero mondo di individui e popoli è finito e deve realizzare la sua finitezza non solo a parole, ma anche mediante la sofferenza della caducità. Al pari di Crono lo spirito divora tutti i suoi figli, poiché il suo fine procede oltre la libertà oggettiva. Non c'è nessun popolo ultimo, in cui l'assoluto pervenga definitivamente alla pace. In quanto spirito storico l'assoluto si finitizza, per sollevarsi alla saggezza della vita eterna oltre tutti i popoli e la loro storia.

L'impossibilità di una conciliazione ultima nella dimensione dell'elemento pratico viene rimarcata da Hegel in questi paragrafi per preparare il salto alla dimensione dello spirito veramente infinita. Nelle *Lezioni sulla filosofia della storia* egli completa la sua esposizione concettuale di questa impossibilità con una descrizione della crudeltà che contrassegna il « banco da macellaio » della storia[6]. Hegel è ben lontano dal compiacersi degli aspetti tragici degli eventi politici. Come filosofo tuttavia egli cerca di comprendere nel concetto la fede nella provvidenza, la predestinazione e le cose ultime. È riuscita la sua traduzione della fede cristiana nel pensiero filosofico, o si deve dire che lo spirito del mondo somiglia più alla μοῖρα greca che al Dio cristiano? Hegel vede, con Anassimandro, l'intero degli accadimenti mondiali come un incessante sorgere (γένεσις) e tramontare (φθορά), ma attraverso questa ripetizione la libertà avanza verso il suo compimento supremo, e tuttavia finito, nell'elemento politico ed oltre: verso la dimensione sovrapolitica, in cui lo spirito trova la pace, senza perdere il suo movimento infinito.

§ 551:

Questo paragrafo interrompe l'argomento, indirizzando l'attenzione al problema della ricompensa per il servizio compiuto. Importante in esso è il fatto che minimizza il ruolo

---

[6] *Die Vernunft in der Geschichte*, p. 261, cfr. pp. 34-35.

dei singoli popoli e dei singoli uomini, dai quali questi popoli sono guidati o rappresentati. Il lavoro peculiare che si compie con le occupazioni dei capi è l'attività dello stesso spirito universale o sostanziale. L'affaccendarsi degli uomini è solo l'aspetto formale dell'accadere in senso proprio.

§ 552:

La prima proposizione comprende tutte le proprietà soggettive ed oggettive del singolo popolo e del suo spirito, in quanto quelle proprietà ne esprimono la finitezza. Hegel dice qui molto chiaramente che lo Stato nazionale non può essere una forma adeguata dello spirito. Un popolo è qualcosa di naturale e di esteriore. Il suo carattere naturale è responsabile di un genere di necessità, in cui la libertà non si trova realizzata adeguatamente. In quanto forma particolare, un popolo è troppo limitato per esprimere lo spirito infinito dell'eticità, cioè della libertà concreta. I costumi, da cui un popolo è dominato, sono « un dato di fatto ». Quando diviene cosciente della sua particolarità, appare come un'esistenza temporalmente presente, contingente, che, in quanto tale, non può concretizzare in sé il concetto universale della libertà.

L'autocoscienza che il popolo sviluppa nella sua cultura si dispiega a pensiero riproducendo in una qualche maniera il processo di pensiero svolto nella filosofia dello spirito oggettivo. Mediante ciò il popolo scopre che la sua forma naturale, contingente e limitata, che è però al tempo stesso un'organizzazione etica della libertà, è un'esistenza particolare dello spirito infinito. La sua arte, la sua religione ed una parte della sua scienza sono l'espressione di questo sapere. Anche il suo sapere rimane però nazionalistico e limitato. Questa limitazione deve altrettanto togliersi, al pari delle limitazioni giuridiche e politiche, di cui si è discusso nei §§ 545-550. La distinzione tra la dimensione dell'elemento etico e di quella del sapere appare tuttavia nel fatto che la prima non ammetteva alcuna sintesi definitiva, mentre questa è certo possibile nel sapere. La fine della filosofia dello spirito oggettivo è il procedere dello spirito oltre la sua oggettività. La storia del mondo è il tribunale che condanna al tramonto tutte le forme limitate dell'eticità. Come la natura alla fine della filosofia della natura doveva « sparire » (§ 381), così ora « gli spiriti del popolo particolari » vengono « cancellati » dallo spirito universale. Poiché l'intero contenuto della storia universale consiste nella insintetizzabile « dialettica » dei popoli, e poiché il loro mondo e la loro storia formano solo uno pseudoconcetto, l'elevazione dello spirito oltre i popoli è parimenti un « cancellare » la sua mondanità. Lo spirito si rivolge dall'oggettività del mondo pratico al puro sapere della ragione teoretica. In quanto universalità *concreta*, il « cancellare » non significa che lo spirito lascia semplicemente dietro di sé la vita etica e la storia. Natura, mondo e storia restano i momenti necessari della sua autorivelazione nella quale esso si sa (cfr. §§ 383-384), ma sono divenuti completamente docili, come « vasi del suo onore ».

Quest'ultima espressione è probabilmente presa a prestito dalla *Storia degli apostoli*, che chiama l'apostolo Paolo un « vaso eletto » (*Atti* 9, 15). Letteralmente ciò significa « un vaso di elezione », σκῆνος ἐκλογῆς; la vulgata traduce: *vas electionis*; mentre la Bibbia di Lutero lesse « uno strumento eletto ». Del resto anche l'espressione « strumento » impiegata nel § 551, che allude ai grandi uomini di Stato, per mezzo dei quali lo spirito si realizza nella storia, potrebbe essere un'allusione agli *Atti* 9, 15, perché σκῆνος può significare in senso generale « strumento ».

Se entrambe queste supposizioni sono giuste, o lo è una di queste, ciò conferma l'interpretazione che ravvisa nella spiegazione hegeliana della storia dei popoli una lettura secolarizzata della storia sacra cristiana. La « missione » storica delle nazioni consisterebbe nel fatto che esse preparano il

compimento della verità eterna mediante l'assoluta autoconoscenza.

Possiamo riassumere l'argomentazione dei paragrafi 545-
552 nello schema seguente.

α) *Diritto interno dello Stato* (§§ 537 - 546)

545: Lo Stato è un popolo singolo, che si contrappone
ad altri popoli. Questa relazione è una relazione dell'arbitrio,
un dover essere, guerra.

546: Da ciò deriva per il singolo Stato la necessità di
uno stato del valore. L'esistenza particolare dei singoli deve
essere consacrata all'intero dello Stato e in caso di necessità
deve venire sacrificata.

β) *Il diritto esterno dello Stato* (§ 547)

Il toglimento del dover essere (§ 545) in un intero
etico che comprende tutti i popoli in quanto suoi momenti
è *impossibile.* Per la conciliazione e l'unificazione dei singoli
popoli esistono solo elementi contingenti (come riconoscimento di fatto, trattati di pace, diritto internazionale, costumi).

γ) *La storia universale* (§§ 548 - 552)

548: Lo spirito del mondo universale ha bisogno dei
singoli popoli come gradi temporali della sua liberazione. In
quanto spirito della storia esegue il giudizio universale, che
fa sorgere e tramontare i popoli.

549: La realizzazione e rivelazione dello spirito come
spirito del mondo esteriormente universale è la progressiva
liberazione dello spirito alla libertà suprema.

550: In quanto ha realizzato la sua libertà, lo spirito — e
il popolo in cui si dà esistenza — ha il diritto supremo ed
assoluto.

(551: Funzione e gloria dei singoli strumenti dello spirito liberantesi).

552: Lo spirito del popolo pensante sa la sua essenza. Lo spirito della storia universale si solleva al sapere dello spirito assoluto.

CAPITOLO IV

LO SPIRITO ASSOLUTO:
RELIGIONE E FILOSOFIA

1. IL PENSIERO COME ELEVAZIONE DELLO SPIRITO A DIO
(annotazione al § 552)

L'impossibilità, esposta ai §§ 545-552, che il fine vero
ed infinito dell'intero sviluppo dello spirito possa consistere
in una sintesi *pratica*, era necessaria come momento negativo
per dischiudere al pensiero la verità suprema: secondo la sua
più intima essenza il pensiero non è altro che l'elevazione a
Dio. Nell'annotazione al § 552, che chiude la penultima parte
dell'*Enciclopedia* ed immette nella sua ultima parte, Hegel
mette in evidenza un'altra volta questa connotazione del pensiero come attività religiosa — una connotazione che gli è
cara fin dagli anni di Tubinga [1]. Egli rimanda ad alcuni paragrafi della logica, a cui se ne potrebbero aggiungere molti
altri, per sottolineare la dimensione religiosa o « assoluta »
del pensiero [2]. Quest'annotazione contiene perciò insieme uno

---

[1] Cfr. *Briefe* I, p. 29 (A Schelling, 30.8.1795): « ... che cosa possa
significare avvicinarsi a Dio ... » (cfr. SCHILLER, *Philosophische Briefe*,
« Thalia », fasc. III, 1786, p. 129: « Avvicinatevi al Dio che intendete »).

[2] Per la trattazione di ciò che vi è di « formale nell'elevazione dello
spirito a Dio » Hegel rimanda erroneamente a [*Enc.*] § 51 ann. In

sguardo retrospettivo sul senso della logica e una teoria della relazione tra l'elevazione a Dio e le due prime parti della filosofia dello spirito, in cui lo spirito veniva concepito secondo i suoi aspetti finiti.

L'asserzione di Hegel, secondo cui Kant ha pienamente ragione « quando considera la fede in Dio [come] scaturente dalla *ragion pratica* », manifesta l'intento della sua propria deduzione: mostrando alla fine della sua teoria dello spirito oggettivo, o praticamente libero, che è impossibile una compiutezza nell'ambito dell'elemento pratico, egli ha indicato al tempo stesso che la storia del mondo è dominata da una provvidenza pensante. Insieme a questo pensiero presente nella storia è dato il contenuto infinito della verità definitiva. L'eticità *che pensa sé* — così dice Hegel — è la consapevolezza che la libera universalità di Dio è proprio l'essenza concreta dell'eticità. Nella seconda parte della lunga annotazione al § 552 Hegel cerca di legittimare come unità inscindibile di religione cristiana e politica nazionale l'interna unità dello spirito pratico in forma storico-mondana e dello spirito che si conosce infinitamente nella religione vera e nella filosofia, un tentativo che non si accorda con le sue precedenti deduzioni, poiché lo Stato nazionale, inteso come singolo individuo, che è ancora assai più finito della storia del mondo, non può essere la forma adeguata dello spirito assoluto. Anche il susseguirsi di molti popoli in una storia in continuo svolgimento, non è un'esistenza dell'assoluto adeguata, dal momento che essa è un processo senza fine nel tempo. Il nostro elevarci a Dio dalle finitezze dello spirito soggettivo e oggettivo sembra essere possibile dunque solo mediante un *salto*.

Lo stesso Hegel impiega l'espressione « salto » nell'an-

realtà si tratta invece dell'annotazione al § 50. Nel capoverso seguente egli richiama anche il paragrafo 192 e l'annotazione al § 204. Cfr. anche § 193 ann.

notazione al § 50, che egli nell'annotazione al § 552 probabilmente intende per l'appunto con il suo rimando al « § 51 ann. ». L'annotazione fornisce una spiegazione alla tesi già enunciata, secondo cui il pensiero altro non è che l'elevarsi a Dio. Il pensare dell'intelletto intende erroneamente questa tesi, ritenendo il pensiero identico al sillogizzare « formale », che procede da intuizioni empiriche e va da una determinatezza all'altra senza mai negare come tale il principio del pensiero empirico e il mondo finito. Una negazione radicale di ogni elemento finito (una negazione dunque che concerne tanto la natura quanto lo spirito soggettivo e oggettivo) è indispensabile per conseguire la verità dell'assoluto. Le « cosiddette prove dell'esistenza di Dio », che sono prodotte nella forma di sillogismi « formali », sono solo un'ombra del pensiero propriamente detto. Per il filosofo che conosce la loro verità nascosta, esse sono « solo » le « *descrizioni* ed analisi *del procedere dello spirito* in sé ». Hegel stesso descrive così questo procedere nell'annotazione al § 50: « L'*elevazione* del pensiero oltre il sensibile, il suo *progredire* oltre il finito verso l'infinito, il *salto* [!] che vien fatto col rompere [!] le serie del sensibile, nel sovrasensibile, tutto questo è il pensiero stesso: questo trapassare è *soltanto pensiero* ». È evidente che questo saltar oltre non è un abbandonare o un rigettare il mondo; ma il mondo finito è con ciò reso come il non assoluto. « Pensare il mondo empirico significa [...] essenzialmente trasformare la sua forma empirica e mutarla in un qualcosa di universale; il pensiero esercita al tempo stesso un'attività *negativa* su quel fondamento; la materia percepita, quando viene determinata mediante l'universalità, *non resta* nella sua prima forma empirica. Viene messo in rilievo il *contenuto* interno del percepito con eliminazione e *negazione* dell'involucro esterno [...]. Le prove metafisiche dell'esistenza di Dio sono perciò esposizioni e descrizioni manchevoli dell'elevazione dello spirito dal mondo a Dio, poiché non esprimono, o piuttosto non mettono in luce il momento *della ne-*

gazione che è contenuto in questa elevazione, poiché nel fatto che il mondo è *contingente*, è implicito che esso sia soltanto un qualcosa di *caduco*, di apparente, e un *nulla* in sé e per sé. Il senso dell'elevazione dello spirito è che al mondo spetti bensì l'essere, ma che questo sia soltanto parvenza, non il vero essere, non verità assoluta; che la verità assoluta sia piuttosto oltre quell'apparenza, solo in Dio; e soltanto Dio sia il vero essere».

Sembra chiaro che in queste osservazioni Hegel impiega il termine « mondo » in un senso non tecnico ed unilaterale. Il « mondo » o l'universo vengono infatti ad identificarsi qui con quegli aspetti dell'universo che non sono ancora intesi come esistenza ed espressione dell'assoluto e perciò sono nulli. La filosofia però consiste proprio nel tentativo di mostrare come tutto ciò che inizialmente *sembra* solo contingente è in realtà l'universalità che si manifesta e la necessità dell'assoluto. Le parti precedenti del sistema hanno mostrato quanto la natura, l'uomo, lo Stato e la storia siano animati e guidati da Dio. L'elevazione dell'uomo a Dio coincide con la graduale trasformazione di tutto ciò che è empirico. Perciò è richiesto un salto per andar oltre dalla fine dello spirito oggettivamente - pratico all'inizio dello spirito assoluto. D'altro lato si deve anche dire che lo spirito assoluto è già sempre presente nel pensiero fin dall'inizio. Il pensiero può solo elevarsi a ciò che era già attivo in esso come compimento e come ciò che è primo. Questa è la verità dell'argomento ontologico, che Hegel difende nelle annotazioni al § 51 e al § 193 e che formula un'altra volta in maniera molto semplice nella prima proposizione del § 553, come una chiave per l'intera filosofia dello spirito: « Il *concetto* dello spirito ha la sua *realtà* nello spirito ».

Il concetto dell'assoluto (*quo majus cogitari nequit*) è una realtà effettuale (*Wirklichkeit*) (*non potest esse in intellectu solo, sed et in re est*, cfr. § 193 ann.). L'unità di concetto e realtà (*Dasein, Existenz*) è contenuta nel concetto stesso come una necessità. Quest'unità era proprio la segreta forza propulsiva che sospinge l'intero sviluppo del sistema dal suo concetto più primitivo e vuoto alla pienezza di questo medesimo concetto. A partire dalla proposizione citata, diventa per noi parimenti evidente che cos'è lo spirito assoluto. Di nuovo la « definizione » non è nient'altro che il risultato dello sviluppo precedente: lo spirito assoluto, considerato in modo puramente formale, è il concetto realizzato e manifestato dello spirito. Ciò era propriamente già evidente dopo la lettura dei §§ 381-383. Si produce di nuovo un'inclusione di ἀρχή e τελευτή. Ma non solo questo: *tutti* i nomi e concetti preliminari dello spirito, come *essere, essenza, concetto, idea* ecc. e *tutte* le trasformazioni che il concetto « formale » dello spirito ha subíto nella filosofia dello spirito, sono sempre il medesimo assoluto che è stato approfondito ed innalzato mediante l'intero processo del pensiero sistematico. Si può anche tracciare attraverso l'*Enciclopedia* una linea che unifica i punti nodali del dispiegamento pensante come una serie di manifestazioni *del medesimo*: essere, divenire, essere per sé, essenza, identità, fondamento, sostanza, concetto, vita, conoscere, idea, spirito, anima, ragione, spirito soggettivo, libertà, diritto, religione e sapere assoluto sono i nomi dell'unico e assoluto *assoluto*. Lo stesso Hegel ha detto che *tutte* le determinazioni *logiche* sono « definizioni dell'assoluto », ma quelle determinazioni che contengono una differenza « definiscono » solo i momenti finiti senza cui l'assoluto non sarebbe veramente infinito (§ 85). La serie dei predicati logici si prolunga all'interno della filosofia dello spirito nella forma di predicati concretizzati conformemente alla filosofia reale. Al termine di questa serie, nel raggiungimento della completa concretizzazione del pensiero logico, deve essere possibile riconoscere il nome *intero* dell'assoluto.

2. Il concetto dello spirito assoluto (§§ 553 - 555)

§ 553:

Il concetto, ovvero la « definizione » ancora astratta dello spirito assoluto, è dunque la piena realizzazione dell'identità che nell'ontologica « prova dell'esistenza di Dio » viene espressa in modo astratto. Esso è l'identità concreta del *concetto dello spirito* (§§ 381-384) e della sua *realtà* (§§ 387-577). La realizzazione graduale del concetto dello spirito nel corso dello svolgimento dello spirito soggettivo e oggettivo (§§ 387-552) è la via che conduce all'identità effettiva, cioè al concetto concreto dello spirito o al concetto, dapprima ancora astratto, dello spirito assoluto. Non resteremo sorpresi di fronte alla prima e all'ultima proposizione del § 553, dal momento che esse sono già contenute nel concetto universale dello spirito (§ 381, § 383). Invece nella seconda proposizione è contenuta una difficoltà.

Nel paragrafo 382 Hegel aveva riposto l'essenza dello spirito nella *libertà*; nell'introduzione alla psicologia, lo spirito è stato spiegato come *unità dell'elemento teoretico e pratico* (§ 443): nel § 468 quest'unità era il fondamento per l'identità di *intelligenza* e *volontà* e nel § 481 essa si era concretizzata in modo conseguente come « *spirito libero* ». Lo spirito oggettivo (§§ 483-552) è stato esposto come l'oggettivazione della *volontà* libera, dunque principalmente dello spirito *pratico*, che veramente contiene in sé il pensare della ragion pratica — e perciò anche l'*intelligenza* —. Dopo che è risultato che è impossibile una conciliazione definitiva nell'ambito del diritto, ora lo spirito assoluto viene introdotto come un *sapere* determinato, cosicché la dimensione dell'elemento *pratico* viene in ultima analisi subordinata all'elemento *teoretico*. Hegel cerca di giustificare questo trionfo del sapere, tematizzando così la relazione tra spirito soggettivo, oggettivo e assoluto:

a) Egli riassume i momenti dello *spirito soggettivo* caratterizzandolo come « l'intelligenza in sé libera » (sebbene in quest'espressione sia possibile leggere una sintesi dell'intelligenza e della volontà nella libertà, Hegel accenna tuttavia ad una preponderanza dell'intelligenza sulla volontà).

b) Lo *spirito oggettivo* è la realtà etica, in cui la libera intelligenza si realizza. Come tale essa è il cammino della sua liberazione (cfr. § 386 e § 482) o la mediazione, mediante la quale l'intelligenza libera consegue un'esistenza o una realtà conforme al suo concetto.

c) Soltanto quella forma che l'intelligenza libera consegue al termine dello spirito oggettivo (la conoscenza della presenza di Dio nella storia) è adeguata o « degna » del suo concetto. Solo nella forma di un sapere che comprende la storia dei popoli come un'esposizione oggettiva della libertà assoluta, lo spirito soggettivo è libero in sé e per sé.

Il primato spetta dunque all'elemento teoretico. Il pieno dispiegamento della conoscenza ha bisogno della ragion pratica, ma la supera. Detto altrimenti: il programma dello spirito, il divenire ciò che esso è, coincide con il compimento del γνῶϑι σεαυτόν (§ 377). Se si cerca di schematizzare le diverse indicazioni hegeliane, i paragrafi 382, 443, 468 e 481 sembrano suggerire lo schema seguente (I):

$$
\text{(I) Spirito (382)} \rightarrow \text{Sp. sogg. (443)} \left\langle \begin{array}{c} \text{teoretico} \\ \text{(intelligenza)} \\ \\ \text{pratico} \\ \text{(volontà)} \end{array} \right\} \begin{array}{c} \text{Sp. } \textit{libero} \\ \text{(468, 481)} \end{array} \rightarrow
$$

$$
\rightarrow \begin{array}{c} \text{ogg. (Spirito } \textit{libero}) \\ \text{(volontà} \times \text{intelligenza)} \end{array} \longrightarrow \begin{array}{c} \text{Spirito assoluto} \\ \text{(Spirito } \textit{libero}, \text{ sogg.-ogg.)} \end{array}
$$

Diverso è invece lo schema (II) che domina molti altri paragrafi, tra i quali i paragrafi 377, 387, 442, 553 ss.:

(II) Spirito (377) → Sp. sogg. (387) →

teoretico (442) ···································→Spirito assoluto: sapere
          ↘   ↗ (553-conclusione)
    pratico: volontà, Sp. libero → Sp. ogg.
        (481 ················ 552)

È possibile confrontare parallelamente il secondo schema con quello che fornisce all'intera *Enciclopedia* la sua principale suddivisione: idea-natura-spirito. Se si considera che la funzione dello spirito oggettivo è quella di un « mondo » o di una « seconda natura », emerge una certa somiglianza tra quest'ultimo schema e il secondo schema della filosofia dello spirito. Il susseguirsi di (1) *spirito astratto* o « soggettivo », (2) mondo dello *spirito* pratico o « *oggettivo* » e (3) spirito che si sa o « *assoluto* », corrisponde alla serie *idea* (logica), *natura* e *spirito*. Uno schema simile si mostra parimenti in altre successioni, per esempio in quella terza parte della logica: *concetto* (*soggettivo*) → *oggetto* → *idea*. Un paragone ed un esame accurato di tutti i paralleli di questo tipo ci metterà probabilmente a confronto con la struttura fondamentale o con una struttura fondamentale della logica praticata da Hegel.

§§ 554 - 555:

Il primo paragrafo dell'ultima parte della filosofia dello spirito (§ 553) determina lo spirito assoluto come risultato della parte precedente. Il paragrafo 554 presenta il nocciolo della struttura concettuale dello spirito assoluto e spiega in che misura può essere designato con il nome corrente di « religione »; il paragrafo 555 esplicita in certo qual modo il concetto ottenuto, in quanto mette in rilievo il carattere processuale dello spirito assoluto con l'aiuto di termini religiosi.

Come compiuta realizzazione dell'intero sviluppo enci-
clopedico, lo spirito assoluto ha la struttura dell'idea. È il
concetto che si concepisce, che si è realizzato e si realizza
continuamente e che si conosce come tale. Esso può essere
definito solo per mezzo di tre diverse proposizioni: 1) lo spirito è a sé e in sé; 2) esso si aliena, si è alienato ed è lo
spirito naturale che è fuori di sé, soggettivo ed oggettivo, che
sempre si aliena in un mondo spazio-temporale; 3) è lo spirito che ritorna a sé ed è già sempre ritornato dalla sua esteriorità, spirito che nella presenzialità del suo eterno anda-
mento circolare toglie spazio e tempo senza mai abbando-
narli. Poiché la sostanza dell'assoluto è una sostanza spirituale, la sua identità è l'automovimento dell'eterno che si fa
esso stesso temporale, la presenza della conclusione (*Scluß*)
allo stesso tempo finita ed infinita, che continuamente possiede e supera la sua interna divisione. Hegel caratterizza immediatamente la libertà di questo autosuperamento come un
sapere: l'assoluto è la sostanza che sa ciò che essa è (sa cioè
che è divenuta e che diviene).

Nel linguaggio comune la sfera suprema della vita dello
spirito, la sfera in cui è in gioco il senso radicale del tutto,
si chiama « religione ». Hegel assume questo nome, almeno
per ora, ma, come si vedrà, la sua interpretazione trasforma
il significato che la parola « religione » ha nel linguaggio
corrente.

Hegel impiega il termine « religione » con almeno due
significati: da una parte « le religioni » (per esempio § 562
ann.) stanno di contro all'arte e alla scienza, dall'altra « la
religione », « così questa sfera suprema può essere designata
in generale », comprende tanto la religione in senso stretto
quanto anche arte, scienza e filosofia. Quest'ultimo significato viene introdotto al § 554 come sinonimo dello spirito assoluto, il quale altre volte viene chiamato anche « Dio ».

Religione « in generale » non è dunque nient'altro che lo spirito, che si realizza, si è realizzato e come tale si conosce.

Nei confronti della forte tendenza soggettivistica della teologia del suo tempo, in questo paragrafo Hegel sottolinea subito un'importante conseguenza della determinazione del concetto da lui presentata. Se si identifica la religione con lo spirito assoluto stesso, va da sé che non è possibile ridurre lo spirito ad un momento semplicemente soggettivo. In quanto tale lo spirito è stato tematizzato in quella parte della filosofia dello spirito, che è ancora « formale », cioè nel trattato sullo spirito soggettivo. Mediante la sua oggettivazione come spirito del mondo esso è divenuto la sintesi vivente dello spirito soggettivo ed oggettivo: è la sostanza che si conosce nella comunità dei soggetti finiti come l'assoluto che li produce e riunifica, li vivifica ed anima. Il momento oggettivo dello spirito, che si è realizzato nel diritto delle nazioni e nella loro storia, viene riconosciuto nella religione, in quanto si rivela in essa e si riconosce come spirito rivelato. La conoscenza religiosa dello spirito si realizza in quanto i credenti venerano lo spirito non solo nella sua oggettività, ma anche in quanto si rivela nei loro sentimenti e rappresentazioni. La differenziazione del modo in cui conoscono lo spirito specifica il genere della loro conoscenza.

Contrariamente all'abitudine di Hegel i paragrafi introduttivi 553-555 non contengono alcuna partizione del capitolo; neppure il principio per una tale suddivisione. Nel corso del capitolo Hegel dice invece — come ha ripetuto spesso anche nelle sue lezioni sull'estetica e sulla filosofia della religione — che arte, religione e scienza si distinguono secondo il loro lato « formale » o soggettivo come 1) intuizione, 2) rappresentazione e 3) pensiero. Questa distinzione, desunta dalla filosofia dello spirito soggettivo, è problematica prima di tutto in rapporto alla distinzione tra arte e religione. Lo stesso Hegel connota più volte la religione mediante sensazione (*Empfindung*) e sentimento (*Gefühl*) piuttosto che per

100

mezzo di rappresentazione. D'altra parte sensazione e sentimento caratterizzano altrettanto la musica e le altre forme
di arte. Anche la rappresentazione sembra non meno caratteristica per la poesia che per la religione. Nei §§ 562-563
Hegel ravvisa la distinzione tra religione ed arte nel loro diverso contenuto: mentre il contenuto dell'arte è un contenuto finito, la religione venera l'infinito. Si potrebbe supporre che questa distinzione debba comportare necessariamente anche una distinzione formale. La tesi inversa, cioè che
una distinzione formale comporta necessariamente una distinzione del contenuto, viene contraddetta da una convinzione di
Hegel ribadita più volte: la religione rivelata o cristiana e
la filosofia hanno il medesimo contenuto. In ogni caso è evidente che il § 554 vuole determinare lo spirito assoluto come
una sintesi dello spirito soggettivo e oggettivo, in quanto
questo paragrafo mette in connessione il soggetto « religioso »
con l'oggettività della « comunità » dello spirito assoluto. Nel
§ 555 vengono più chiaramente distinti il momento soggettivo
ed oggettivo, essendo chiamati rispettivamente «fede» o « certezza » e « la verità oggettiva ». (Il termine « fede » viene
qui preso in un senso altrettanto ampio del termine « religione » al § 554, un senso comprensivo di arte, religione e
scienza).

La « comunità » dello spirito assoluto (§ 554) è la nuova
ed assoluta configurazione della comunità del popolo, che è
stata trattata, ma non dedotta, nella filosofia dello spirito oggettivo come Stato nazionale (v. sopra cap. III, 3). Nel §
557 essa appare nella forma della bella comunità del popolo
greco, ma Hegel non si pone il problema di quale tipo di
comunità esiga l'adeguata e completa realizzazione della religione cristiana e della scienza universale. L'aspetto sociale
della pericoresi di Dio e dei credenti da lui enfatizzata non
viene propriamente tematizzato. « Dio », che è identico allo
spirito assoluto e alla vera « religione », è lo spirito universale che si riconosce nel soggetto umano, ma resta non chia-

rita la struttura « religiosa » della comunità umana, che risulta dalla realizzazione e dall'incarnazione di Dio.

§ 555:

Nel § 555 Hegel dispiega la struttura *universale* del concetto guadagnato nei §§ 553-554, *senza* sprecare una sola parola sulla distinzione tra arte, religione e scienza. Egli presenta qui anche una descrizione un po' più concreta dei tre momenti del concetto, introdotti nella prima metà del § 554 e validi tanto per l'arte quanto per la religione e la filosofia. Tuttavia egli limita questa descrizione ai lati soggettivi dello spirito assoluto menzionati nella seconda metà del § 554 e nella annotazione al § 554: si limita cioè al sapere assoluto come è sperimentato dal soggetto umano.

Come realizzazione dell'idea assoluta il sapere soggettivo è essenzialmente un processo (cfr. §§ 236-243). Con l'aiuto di categorie che sono prese a prestito dalla religione in senso stretto e che qui ricevono un significato più o meno metaforico, Hegel caratterizza ora i tre momenti già nominati al § 554 nel modo seguente:

1) l'immediata *certezza* o il sapere *immediato* della verità assoluta. Nella sfera della religione questa certezza si chiama *fede* (cfr. il confronto di Hegel con Jacobi in *Enc.* §§ 61-78). Le testimonianze, attraverso cui il fedele intende la verità, non sono più qui semplici percezioni, ma interpretazioni determinate della natura, del mondo umano e della storia, mediante le quali l'esistente viene considerato come manifestazione ed autorealizzazione dello spirito (cfr. §§ 383-384). Questo genere di certezza è « sostanziale », poiché essa non è ancora riflessa, ma è ingenua. Come tale la fede è un principio fondamentale, che tuttavia non comprende se stesso. Nella fede soggetto e oggetto sono immediatamente una cosa sola: non c'è in essa alcuna relazione consaputa ad un alcunché di contrapposto, nessun giudizio (§ 554) dunque, ma solo

102

un esser presso se stesso a testimonianza dello spirito allo stesso tempo finito ed infinito.

2) Una relazione o giudizio si forma solo nella *devozione*, cioè in una forma determinata di rivolgersi all'assoluto (a Dio), nella quale si fanno sentire tanto la distanza quanto l'essere in rapporto. Questa relazione può essere rappresentata in modo molto vario: dal fervore avvertito interiormente fino alle forme più complicate delle celebrazioni del culto, ci sono varianti infinitamente molteplici, più o meno dispiegate o « esplicitate » [3].

3) L'intero senso della relazione, o del giudizio, tra il credente e la verità da lui celebrata, consiste nel fatto che l'identità originaria si concretizza in modo tale che lo spirito infinito e i suoi testimoni si conciliano reciprocamente nella devozione e nel culto. La realtà effettuale dello spirito è l'« inveramento » o la custodia dell'unità originaria.

« La devozione » e « il culto » non costituiscono qui due processi o gradi distinti (cfr. Fulda, *Das Problem...*, p. 226 e Theunissen, *Hegels Lehre...*, p. 141) ma *insieme* indicano le molte forme possibili, in cui (1) il processo menzionato nella prima proposizione del paragrafo si « esplicita » o sviluppa, e l'opposizione di soggetto e oggetto (3) viene tolta nella conciliazione menzionata alla fine del § 555. Questo accenno trova una conferma grazie al § 565, dove dopo (1) « la fede », come secondo momento del toglimento, viene nominata (2) « la devozione *del* culto » (corsivo mio). Che nel § 555 non si tratti affatto di una *divisione* dello spirito

---

[3] THEUNISSEN (*op. cit.*, p. 143) — come anche FULDA, *op. cit.*, p. 226 — legge erroneamente « esplicite » (*expliziten*) al posto di « esplicitate » (*explizierten*), ma il significato di ciò che è « più esplicitato » o « più sviluppato » — in opposizione a « implicito » — si avvicina a quello di « esplicito ». L'accento poggia però non tanto sulla distinzione nascosto - manifesta, quanto piuttosto sulla spiegazione o sullo sviluppo di un nucleo in particolari figure concrete. In questo senso « esplicitato » viene impiegato anche in *Enc.* § 559 e § 571.

assoluto, ma di una indicazione dell'universale struttura del concetto, risulta anche dal fatto che i tre momenti (1. fede o unità immediata; 2. relazione: « la devozione del culto »; 3. « realtà effettuale dello spirito » o conciliazione) si realizzano in ciascuna delle tre dimensioni dello spirito assoluto: arte, religione e filosofia. (Cfr. per esempio, in rapporto all'arte, § 557 — il secondo momento del concetto — e § 561 — il terzo momento del concetto —).

Di contro a quegli interpreti, che vogliono leggere nel § 555 una legittimazione della partizione assunta di conseguenza da Hegel in A) *L'arte*, B) *La religione rivelata* e C) *La filosofia*, spero di aver mostrato che questo paragrafo è semplicemente una nuova versione, che si serve di concetti religiosi, della struttura concettuale presentata già nel § 534, struttura che, per parte sua, era solo una reminescenza del processo logico di mediazione, mediante il quale 1) *immediatezza*, 2) *riflessione* e 3) *concetto* sono le fasi necessarie dello Stesso automoventesi.

3. L'ARTE (§§ 556 - 563)

In relazione agli otto paragrafi che l'*Enciclopedia* dedica all'arte, mi limito ad alcune osservazioni generali.

a) L'arte, la cui forma compiuta è l'arte greca, viene trattata da Hegel in conformità con il paragrafo 554 come una « religione »: in essa è in gioco il sapere della verità. Il senso della bellezza greca, per esempio, consiste nel fatto che in essa viene alla luce la *verità*. Il modo, in cui la verità si manifesta nell'elemento estetico, può tuttavia essere solo un modo inadeguato. Anche la forma più elevata dell'arte è dunque una religione inadeguata.

b) La vera religione, come vedremo, è la rivelazione dell'incarnazione di Dio, la quale è al tempo stesso una *theiosis* o divinizzazione dell'uomo. L'arte viene esposta come un'incarnazione di Dio non riuscita o come una divinizzazione dell'uomo e questo non solo negli ultimi paragrafi della sua trattazione (§§ 561-563), nei quali viene dimostrata l'insufficienza religiosa di ogni arte, ma fin dall'inizio e durante l'intera analisi dell'ideale greco di bellezza (§§ 556-561).

c) L'arte viene distinta dalla religione come la forma *intuitiva* dell'autoconoscenza di Dio. Le mitologie, di cui l'arte vive, mostrano però anche rappresentazioni religiose e le celebrazioni che appartengono al loro culto (§ 557) vengono prodotte dal sentimento religioso. Propriamente si dovrebbe dire che il capitolo sull'arte non contiene affatto *un'estetica*, *ma solo una filosofia della religione greca* (cfr. § 557: « la devozione e il culto della religione dell'arte bella »). La distinzione specifica tra la religione greca (§§ 556-561) e la religione cristiana (§§ 564-571) consiste nella differenza tra la finitezza del politeismo e l'infinità dell'unica ed universale incarnazione divina. Il passaggio tra queste due forme della religione viene mostrato nei §§ 561-562 nel sublime di alcune religioni orientali.

d) Il capitolo sull'arte può essere così riportato in uno schema: §§ 556-561: l'arte classica, intesa come conciliazione per mezzo della bellezza, è una conciliazione inadeguata; è solo un « inizio » (561ᵃ, cioè nella prima proposizione del § 561). L'esposizione segue lo schema presentato nel § 555 → « devozione e culto » (557-560) → conciliazione (non riuscita) (561ᵃ).

Nel § 556 l'opposizione di soggettivo ed oggettivo viene indicata come conseguenza della finitezza dell'arte (greca). L'elemento oggettivo, l'esistenza esterna, che è solo *segno* dell'idea (556), viene analizzata al § 557ᵃ e ai §§ 558-559; l'elemento soggettivo, che è composto di *intuire* e *produrre*, viene analizzato rispettivamente nel § 557ᵇ (cioè nella seconda proposizione) e nel § 560.

§§ *561-562:* la conciliazione relativa della religione artistica greca (561ᵃ) contrasta con due forme non belle della religione artistica: l'arte simbolica del sublime (561^b) e l'arte romantica (562).

§ *563:* passaggio dalla religione artistica alla religione rivelata.

Questa struttura può essere schematizzata nel modo seguente:

$$[\alpha] \quad 556 \quad \begin{cases} \text{elem. ogg. } (557^a) \to (558599) \\ \text{elem. sogg. } \begin{cases} 557^B: \text{ intuire} \\ 560 : \text{ produrre} \end{cases} \end{cases} 561^a$$

fede → devozione del culto ————————→ / "conciliazione"

$$[\beta] \quad \begin{cases} (1)\ 561^a: \text{"conciliazione" greca} \\ (2)\ \text{due forme (più) inadeguate:} \end{cases} \begin{cases} 561^b: \text{ arte del sublime} \\ 562 : \text{ arte romantica} \end{cases}$$

$[\gamma]$ (3) passaggio alla religione rivelata (563).

e) L'intera esposizione è un'esposizione critica: *l'arte* non è né l'espressione adeguata al suo contenuto, né è in grado di comprendere l'intera verità come contenuto. La religione in senso stretto è certamente capace di ciò e per questo motivo costituisce una sfera dell'assoluto molto più elevata dell'arte. Il procedere del pensiero in questo paragrafo non è per niente un avvicinamento graduale al vero Dio, ma un'analisi critica della finitezza, così come essa viene in luce nella bellezza greca e ancor più fortemente nelle contraddizioni del sublime orientale.

4. La religione rivelata (§§ 564 - 571)

Il primo paragrafo di questa sezione (§ 564) non ha alcun parallelo nel testo della prima edizione; Hegel lo ha aggiunto nella seconda edizione. Il primo paragrafo del testo originario (A. § 465) corrisponde a B. e C. § 565. In questi paragrafi viene determinato il concetto della religione, mentre BC. § 564 sottolinea, come una specie di introduzione e come una spiegazione del titolo, il « rivelata » contenuto nel concetto e « l'essere-che-si rivela » dello spirito assoluto. Se si prendono insieme il § 564 e il § 565 come determinazione del concetto della vera religione, appare di nuovo lo schema abituale della trattazione hegeliana: alla « *definizione* » del concetto astratto (§§ 564-565) segue lo svolgimento del concetto nei §§ 566-571. Si vedrà che questo svolgimento comprende tre tappe (§ 567, § 568 e §§ 569-570), le quali vengono comprese nel § 571 entro una sorta di sillogismo non adeguato.

a) *Il concetto della religione rivelata* (§§ 564 - 565)

Il paragrafo 564 non è altro che una concretizzazione del concetto di rivelazione, dedotto subito fin dall'inizio della filosofia dello spirito (§§ 382-384) dal concetto dello spirito in generale. Nell'interpretazione di questo inizio svolta sopra abbiamo visto come l'essere per sé della libertà include la *manifestazione* o *rivelazione*, che si realizza come fenomeno nella natura, come porre e presupporre un mondo e come creazione di un mondo spirituale, in cui lo spirito riconosce la sua propria essenza. L'annotazione al paragrafo 564, che ora sottoporremo ad analisi, ci ricorda quell'inizio affermando: « Ma, se la parola *spirito* deve avere compiutamente un senso, esso significa la rivelazione di sé ».

In quanto realizzazione del concetto astratto di spirito, lo spirito assoluto è l'assoluta rivelazione del suo vero contenuto. Ciò che rivela e ciò che è rivelato sono la stessa cosa. Nella terminologia religiosa questo viene così espresso: « Dio è Dio, solo in quanto sa se stesso » (§ 564 ann.). Per capire bene questa frase non dobbiamo dimenticare che questo Dio si sa solo mediante il sapere e in quanto il sapere del soggetto finito, dunque nella forma di una religione umana[4].

Anche nel § 564 il sapere di se stesso che si manifesta viene dedotto come nei §§ 382-383 dall'autodeterminazione o dalla libertà dello spirito. Hegel percorre qui in un certo senso il cammino opposto rispetto a quello percorso nel § 468, deducendo la *volontà* dall'*intelligenza* che si autodetermina. L'argomentazione del § 564 (e dei §§ 382-384) era già contenuta nella determinazione del concetto dello spirito assoluto data nel § 554[a] e ripetuta qui: la struttura concettuale della sostanza spirituale include l'essere per sé del sapere, che si mostra come l'assoluto rivelato e rivelantesi. Poiché il contenuto non è più ora, come nell'arte (greca), uno spirito del popolo limitato, ma è lo spirito *in quanto assoluto*, esso manifesta ora non più qualcosa d'altro, ma se stesso nella sua interezza allo stesso tempo finita e infinita.

Il § 565 delimita il concetto della religione rivelata nei confronti del concetto dell'arte sviluppato nei §§ 556-563, mostrando come la religione è distinta dalla (religione dell') arte sia per il contenuto sia per la forma.

Il contenuto dell'arte, intesa come forma immediata del sapere assoluto, è stato determinato al § 556 come « l'ideale » e si è concretizzato nei §§ 559-560 come la finitezza divina del. « politeismo ». Invece il contenuto della vera religione è lo spirito assoluto nella sua infinità: « lo spirito in sé e per sé essente della natura e dello spirito ». Se Hegel avesse lasciato così com'è questa differenza tra la religione (artistica) greca e la vera religione (« cristiana »), avrebbe potuto contrassegnare il lato formale di *entrambe* le religioni come una mescolanza di sensibilità (sensazione, sentimento, intuizione) e rappresentazione. Miti e storie sacre, figure venerabili, sentimenti di devozione e l'entusiasmo di celebrazioni religiose

---

[4] Cfr. anche *Philosophie der Religion* (hrsg. Lasson) I, pp. 51-52 e Th. F. GERAETS, *Lo spirito assoluto...*, pp. 41-45.

costituiscono un elemento comune a tutte le religioni. Anche se il cristianesimo confidasse nella dimensione dell'intuizione, allo stesso modo della religione greca, o se quest'ultima procedesse in base alla rappresentazione come la religione cristiana, la distinzione contenutistica tra la religione del Dio infinito e la religione greca delle molte divinità finite sarebbe sufficiente abbastanza per distinguerle l'una dall'altra.

Hegel, che considera la religione cristiana prima di tutto come una *dottrina*[5], ha sentito tuttavia il bisogno di collocarla anche per quanto concerne la forma ad un livello — a suo parere — più elevato rispetto al livello sensibile rappresentato dall'intuizione. Benché la dottrina cristiana non comprenda concettualmente la verità, la possiede però in una forma che caratterizza la realtà quotidiana dell'uomo comune: la verità esiste in quanto retta *doxa*; essa viene narrata e *rappresentata*. La rappresentazione non esclude l'intuizione; piuttosto l'include. La maniera greca di raffigurarsi il divino non è dunque abolita nel monoteismo cristiano, ma superata. La dottrina vera ha anche aspetti affettivi, plastici e poetici.

La seconda metà del § 565 spiega la forma della rappresentazione. In quanto forma situata in un certo senso tra la sensibilità e il pensiero, la rappresentazione è una forma di riflessione che procede sulla scorta di fenomeni sensibili. Essa espone il vero concetto del pensiero, la totalità dell'universale, del particolare e del singolare esposta nella logica in un modo precario, capito solo « vagamente », in una forma

---

[5] Cfr. *Briefe* I, p. 337: « Lei stesso sa molto bene quanto i protestanti tengono agli istituti di istruzione superiori; che questi sono cari a loro quanto le chiese e certo valgono tanto quanto queste; il protestantesimo consiste non tanto in una particolare confessione, quanto nello spirito della riflessione e di una cultura più elevata, razionale ... », e *Briefe* II, p. 89: « il protestantesimo non è fedele all'organizzazione gerarchica di una chiesa, ma consiste solo nell'universale comprensione e cultura [...]. Le nostre università e le nostre scuole sono le nostre chiese ».

più o meno narrativa. I momenti essenziali del concetto dello spirito assoluto sono tenuti distinti nella religione come una pluralità di realtà indipendenti. Lo spirito assolutamente universale, che si particolarizza e riprende in sé la propria differenza, il Dio vero e trino, si manifesta nella religione rivelata come una trinità, la cui interiore unità resta nascosta dietro il suo dispiegamento negli eventi che si dispongono nel tempo. La storia sacra, in cui credono i cristiani, forma una connessione fenomenica, nella quale il concetto di Dio si espone come una trinità di momenti indipendenti che si presuppongono l'un l'altro. Questi tre momenti vengono presentati nei paragrafi 567-570, in quanto il § 567 espone l'universalità, il § 568 la particolarità e i §§ 569-570 la singolarità come presupposto rispettivamente per gli altri due momenti. La connessione degli eventi, in cui l'assoluto appare in questo modo, è un'ombra del vero concetto; è la coesione della *riflessione*. La dottrina cristiana si muove all'interno di « determinazioni della riflessione finite ».

Ricordandoci la caratteristica universale (§ 555) del livello raggiunto nello spirito assoluto, Hegel accenna al fatto che lo sviluppo, che viene qui annunciato ed è stato introdotto nei §§ 566-570, nonostante il suo carattere rappresentativo e riflessivo e dunque finito, è circondato tuttavia (3) dall'unità conciliatrice (1) della fede immediata e (2) « della devozione del culto ». La verità immediata del Dio trino, che rivela e sa se stesso, si manifesta nel prisma delle rappresentazioni religiose come una molteplicità, ma « il processo » della religione (§ 555) è proprio il tenere insieme questa molteplicità mediante la devozione della fede che si celebra nel culto [6].

Da quanto è detto nel § 565 deriva il fatto che la religione rivelata *non* consente alcun *sillogismo* adeguato, se non ci si contenta di un sillogismo intellettualistico della rifles-

---

[6] A questo proposito cfr. *Philosophie der Religion* (Lasson) IV, p. 192: « Ma la fede muta il suo significato... ».

sione, ma si esige un sillogismo razionale (cfr. § 181). Benché il § 571 connoti lo sviluppo (§§ 566-570) del concetto determinato nei §§ 564-565 come «tre sillogismi, che costituiscono l'unico sillogismo della mediazione assoluta dello spirito con se stesso», non si può dire che la riflessione religiosa realizzi la totalità razionale del vero sillogismo di tutti i sillogismi. Questa conseguenza a partire dal carattere rappresentativo della religione è importante per l'interpretazione dei paragrafi seguenti [7].

b) *Sviluppo del concetto della religione rivelata* (§§ 566 - 571)

§ 566:

Nel § 566 Hegel indica le linee principali dello sviluppo del concetto della vera religione determinato nel § 565, mostrando come il contenuto assoluto, la verità dello spirito assoluto, si manifesti nella forma della rappresentazione religiosa come una triade di «sfere particolari» o elementi. Come il § 565 ha già spiegato, il non accordarsi di forma (della rappresentazione) e contenuto (della verità assoluta) provoca una scissione dei momenti della verità. Poiché la religione non può raggiungere il concetto adeguato della verità, i suoi momenti — l'universale, il particolare e il singolare — si dividono l'uno dall'altro nella dimensione della religione come «presupposti» indipendenti. La loro relazione è la relazione della riflessione dal condizionamento reciproco di tre principi originari irriducibili. Questi presupposti sono stati definiti al

---

[7] La parola « Schluß », che viene tradotta spesso con « sillogismo », ha allo stesso tempo il significato di « conclusione », « termine », « fine » e « chiusura ». Tutti questi significati debbono essere tenuti presenti quando Hegel, in questi ultimi paragrafi dell'*Enciclopedia*, tratta delle realtà conclusive o quasi-conclusive, nelle quali lo spirito realizza e ricapitola l'universo.

§ 566 « sfere particolari o elementi » ed esposti come tali nei paragrafi seguenti. Dio, il contenuto assoluto, si espone:

α) nell'elemento dell'universalità (§ 567),

β) nell'elemento della particolarità (§ 568) e

γ) nell'elemento della singolarità (§§ 569-570).

Nel § 571 a proposito di queste tre forme di manifestazione si dice che espongono « tre sillogismi », i quali insieme « costituiscono l'unico sillogismo della mediazione assoluta dello spirito con se stesso », ma da ciò che vien detto nel § 565 e nel § 566 relativamente alla forma della rappresentazione e alla scissione dei momenti del concetto, deriva inconfutabilmente che il termine « sillogismo » può essere inteso qui solo in un senso molto ampio: da un lato l'intero svolgimento della verità consegue nella religione il suo « sillogismo » (nel senso del fine conclusivo), dall'altro lato la religione non costituisce un sillogismo (razionale) adeguato, poiché la sua forma non è ancora del tutto vera. Essa non può raggiungere la sfera del concetto, che toglie in sé ogni porre e presupporre, senza togliere se stessa in quanto religione.

Con ciò Hegel ci ha offerto il filo conduttore per l'interpretazione dei paragrafi 567-571. Non si tratta di applicare semplicemente a questi paragrafi la teoria del sillogismo che Hegel ha sviluppato nella sua logica (§§ 181-193) o di ritrovarcela ad ogni costo. Che la religione rivelata esponga in un certo senso un τέλος è cosa tanto evidente quanto l'asserire che la filosofia non può concludere il suo procedere con la religione. Ci si può chiedere ovviamente quali figure del sillogismo siano adombrate nei momenti o nelle « sfere » della religione, ma se Hegel avesse ritenuto importante questa domanda, ne avrebbe parlato certo più ampiamente. È sufficiente che possiamo vedere che e come i tre momenti del concetto dello spirito tanto soggettivo quanto oggettivo, la sua universalità, particolarità e singolarità, si compenetrano nella vera religione e realizzano insieme un intero definitivo.

Lo sviluppo e l'interpretazione della religione rivelata vengono esposti da Hegel sulla scorta della dogmatica cristiana tradizionale. Gli studi di esegesi del giovane Hegel, i suoi tentativi di rinnovare i Vangeli a partire da Kant e alla luce di un'utopia greco-tedesca ed anche i suoi accessi anticristiani appartengono al passato. Il filo conduttore per la sua interpretazione del cristianesimo è la dogmatica classica della scolastica cattolica e protestante, non quella falsata dalla teologia « moderna ».

Le tre parti principali di questa dogmatica sono:

1. Dio in sé (*Deus intra se*), ovvero: Dio uno e trino (*Deus unus et trinus*);
2. Dio nel suo operare verso l'esterno (*operationes ad extra*), ovvero: Dio, il creatore (*Deus creator*);
3. Dio, il redentore (*Deus redemptor*).

Tenendo conto di questa tripartizione, Hegel può indicare così « le sfere particolari », in cui si rivela il contenuto assoluto della religione (il Dio trino):

α) nell'elemento dell'*universalità* Dio è il contenuto che resta eternamente presso se stesso (*intra se*), il quale si manifesta invero (nel suo « operare »: β+γ), ma è già in se stesso (in quanto *trinità* « prima » della creazione della natura e del mondo) lo spirito assoluto, *universale, particolare* e *singolare*.

β) Nell'elemento della *particolarità*, questo Dio uno e trino è il *creatore*, che si differenzia, in quanto essenza eterna, dalla sua manifestazione, dal *mondo* da lui prodotto.

γ) Ritornando Dio in sé dalla manifestazione e riconducendo la manifestazione alla pienezza di sé, viene tolta la scissione risultata in β tra l'essenza eterna ed il mondo, in cui essa si è alienata. Il compimento della religione consiste nel πλήρωμα di Dio, che congiunge (α) la trinità essente in sé

113

e (β) la relazione Dio-mondo nella (γ) *conciliazione* dello spirito *compiuto*.

Lo schema completo della sezione §§ 564-571, risultato da quanto detto sopra, può essere così abbozzato:

La religione rivelata

1) *Concetto*

564 (non in A.): la religione è l'autorivelazione dello spirito (cfr. §§ 382-384).
565: concetto astratto e principio dello svolgimento.

2) *Svolgimento*

566: schema dello svolgimento.
    567   : (α) svolgimento nell'elemento dell'universale.
    568   : (β) svolgimento nell'elemento del particolare.
    569-570: (γ) svolgimento nell'elemento del singolare.
571: L'unità di questi tre « sillogismi » (α-β-γ). Passaggio alla filosofia.

La manifestazione inadeguata dello spirito assoluto mediante la rappresentazione religiosa, avviene dunque in tre forme, che insieme espongono una (inadeguata) (*tri-*)unità. Lo sguardo concepente del filosofo riconosce nella rappresentazione religiosa della redenzione l'eterna (tri-)unità del concetto. La lettura filosofica della dottrina cristiana della fede mette in rilievo i momenti concettuali contenuti nella (quasi-) totalità religiosa e prepara così la vera totalità della verità filosofica.

§ *567:*

In *ciascuna* delle tre sfere della religione il concetto si rivela in quanto connessione di universale, particolare e singolare. Nella *prima* sfera, quella dell'*universalità* divina, ma ancora astratta perché non terrena, la religione si rappresenta l'unità dei momenti del concetto come l'evento di una generazione, in cui Dio padre genera sé come suo unico figlio e costituisce un'unica vita con esso nello Spirito Santo. Le metafore del Padre e del Figlio vengono interpretate in modo tale che l'unità del concetto diventa quasi tangibile, ma restano nascoste nel linguaggio figurato, che interpreta l'essere in sé eterno come un evento. Il filosofo invece comprende queste metafore come forme insufficienti di esposizione della vera struttura dell'assoluto. *Egli* è in grado di tradurre le rappresentazioni della fede nei momenti concettuali della logica speculativa.

Nella teologia del *Deus unus et trinus* l'assoluto viene presentato contemporaneamente come l'universale che è l'origine e come l'assoluto che si particolarizza (nel « figlio ») ed è ciò che (nello Spirito Santo) è compiutamente identico a questo particolare. « Il padre » non è dunque solo *il momento dell'universale*, ma anche — in unità spirituale con « il figlio » — *l'intero* dell'« essenza eterna » che si manifesta (§ 566), cioè dello spirito che rimane presso se stesso nell'identità originaria con ciò che è da lui distinto. Il figlio è l'elemento particolare che media il padre con se stesso, in modo anche da togliere di nuovo questa mediazione che esso è. Mediante questa « mediazione autotoglientesi » della mediazione, il padre è perfettamente identico al figlio e così a sé, cosicché ambedue sono identici al soggetto singolo che comprende e mantiene in sé entrambi: lo spirito concreto. Il padre diviene eternamente ciò che è, divenendo spirito attraverso il figlio. L'universale (U) eterno è il singolo (S), nella misura in cui è ciò che è particolare (P): U è S, poiché è P. Se si rappresentasse questa struttura nella figura di un sillogismo, si avrebbe U-P-S. Poiché lo spirito, in quanto concreta singolarità (S) come mediazione della prima mediazione (P) rende tuttavia il concetto universale di Dio un concetto concreto, si potrebbe rappresentare l'autosviluppo di Dio descritto qui anche per mezzo di una figura sillogistica, in cui S, in quanto riunione dei momenti di Dio, è il medio: U-S-P, ovvero S {U, P}.

L'intera « totalità » di Dio, come viene manifestata dalla teologia del Dio uno e trino, resta però un qualcosa di astratto, finché riposa su un presupposto immediato. Il Dio uno e trino viene considerato qui nella separazione da cielo e terra, da natura e storia. Procede semplicemente da Dio e non ci si chiede in che modo Dio e l'universo finito siano reciprocamente in relazione. Certo si sa — come dice l'inizio del Credo niceano — che Dio è « il creatore del cielo e della terra », e la teologia cerca di spiegare le *operationes ad extra* di Dio con l'aiuto delle categorie della riflessione della causalità, ma non si comprende che la verità di Dio può essere compresa solo come l'interiore unità, necessaria ed indivisibile, della pura universalità (« Dio ») e della realtà « finita », tangibile nella natura e nella storia.

Il fatto che Hegel nomini già in questo paragrafo 567 il « creatore [del] cielo e della terra », deriva forse dal voler richiamare alla memoria del lettore l'inizio della professione di fede cristiana. Ciò significa però certamente anche che qui Hegel *lascia fuori* la considerazione della relazione tra Dio e la sua opera, per tenerla in serbo per il paragrafo successivo (§ 568).

§ 568:

La rappresentazione della tri-unità introdotta al § 567, in cui è adombrata la singolarità concettuale, è il punto di partenza (« la presupposizione » o « il presupposto »), da cui la seconda sfera dell'assoluto, la sfera della sua particolarità, si sviluppa nuovamente nella forma di un (quasi)concetto rappresentato. Propriamente questa sfera non costituisce una unità concettuale e *ancor meno un vero sillogismo*. Il dispiegarsi di Dio nel momento della particolarità è proprio il *disgregarsi dei momenti del concetto* che costituiscono la sua vita *intra se*: è il suddividersi dell'unità rappresentata nel sussistere separatamente dell'universale (Dio), del particolare (il mondo) e del singolare (il male) in quanto esistenze indipendenti. Il paragrafo 568 non espone un sillogismo, ma una partizione («Nel momento della particolarità, del giudizio, però...»).

Questa partizione dell'assoluto viene rappresentata nella religione, in quanto essa considera il Dio uno e trino come l'essenza che precede tutto e come l'origine esistente «dall'eternità» e la sua manifestazione come una creazione (*creatio*) dell'universo finito, che è costituito dalla natura e dallo spirito finito, cioè soggettivo e oggettivo. Poiché la rappresentazione interpreta tutti i momenti concettuali come l'accadere di un evento, essa vede l'eterna mediazione, che il figlio è all'interno di Dio (§ 567), come una mediazione che precede l'universo creato, il quale è in verità il medesimo figlio, ma nella sua esistenza esterna. La creazione del mondo nel Verbo o figlio di Dio (*creatio mundi in Verbo*) si manifesta come un procedere-da-Dio del figlio: il momento divino del particolare e della mediazione «*diventa*» un'essenza indipendente (natura e spirito finito) *nei confronti di* Dio [8]. Con ciò la religione produce un'acuta distinzione tra «nato» (*natum*) o «generato» (*genitum*) da un lato e «creato» (*creatum*) o «fatto» (*factum*) dall'altro. La mediazione per mezzo del figlio unigenito (*unigenitus filius*) «si spezza» nell'«opposizione indipendente» tra il Dio eterno che è costituito da padre, figlio e spirito (infinito) e l'intero finito del creato che per parte sua si scinde di nuovo in natura e spirito finito, i quali si dividono ancora in giudizi e contrapposizioni.

---

[8] Cfr. *Eph.* 1,23 e *Cor.* 15-18.

L'opposizione prodotta dalla creazione si radicalizza e diventa estrema, nella misura in cui la religione si rappresenta la contrapposizione di Dio e del male come un peccato originale. Il filosofo sa quanto la costituzione del concetto ha bisogno delle scissioni e delle opposizioni. La negazione contenuta nell'uscir fuori di sé di Dio, l'opposizione di mondo e Dio, *deve* condurre, secondo la logica messa in pratica da Hegel, all'estrema negazione ed opposizione, cioè al rifiuto di Dio mediante il male.

Nella precedente ricapitolazione della filosofia del diritto hegeliana si è già accennato al fatto che Hegel intende poter dedurre non solo la possibilità, ma anche la *necessità* del delitto (§ 499). Una pretesa simile si mostra nella sua deduzione del male morale all'interno della sezione sulla moralità (§§ 511-512). In entrambi i luoghi il male viene definito come negazione estrema dell'universale ed assoluzione della volontà particolare (§§ 497-499), cioè della singolarità (§ 511). Nel § 568 il mito del peccato originale della *Genesi* 3, 1-24 viene interpretato come un'espressione simbolica non solo dell'opposizione tra il Dio trinitario e la creazione finita, ma anche dell'opposizione tra *naturalità* e *spiritualità* (infinita). La dedizione di Adamo al godere semplicemente naturale con allontanamento dallo spirito eterno produsse nel mondo esterno (« una natura che gli sta di fronte ») un comportamento ostile all'uomo (cfr. *Gen.* 3, 15. 17-20. 21-24): il paradiso è perduto; duro lavoro e dolore contrassegnano d'ora in poi la relazione uomo-natura, mentre all'interno dell'uomo la conseguenza fu isolamento ed assolutizzazione dei suoi aspetti naturali (« la sua propria naturalità, posta con ciò », cioè la cosiddetta concupiscenza o cupidigia della teologia tradizionale, cfr. *Gen.* 3, 7. 11. 16).

La religione si rappresenta l'inclinazione verso gli aspetti *semplicemente* naturali, la « tendenza al male » di cui parla Kant, come una rinuncia alla vera destinazione dell'uomo. Nella verità del concetto filosofico il racconto biblico non è

118

altro che un'esposizione mitica delle relazioni concettuali di natura e spirito nell'essenza finita dell' uomo: rendendosi indipendente nei confronti dello spirito, essa è cattiva; sottomettendosi all'elemento spirituale, è indispensabile e buona. Questa lettura della Bibbia è resa possibile dalla psicologia e filosofia morale di Hegel [9].

Il peccato originale non ha però il significato di una conclusione. L'uomo è ora scisso o separato (un giudizio): in quanto creato, egli resta rivolto all'eterno Dio, ma secondo il momento della sua semplice naturalità, è lontano dalla sua origine. Questa lontananza contrassegna la *singolarità* del-

---

[9] M. THEUNISSEN (*op. cit.*, p. 273) sottolinea certo a ragione che il male non può consistere nell'« essere naturale dell'uomo », ma presuppone un atto umano volontario. La proposizione di Hegel citata da Theunissen (« L'uomo è colpevole solo in quanto si ferma alla sua naturalità », *Philosophie der Religion* (Lasson) I, p. 275) in sé *potrebbe* significare che Hegel ha mantenuto la distinzione tra l'« essere naturale » dell'uomo e la sua colpa contingente. La proposizione lascia però del tutto impregiudicato se sia possibile intendere come una necessità anche questa colpevolezza propria. Quest'ultimo punto costituisce il problema di Hegel in tutti i luoghi in cui parla del male. Anche nel § 568 egli dice che il male è un momento essenziale della costituzione della realtà umana: « *come* l'estremo della negatività essente in sé » (una determinazione *onto-logica* dello spirito finito) lo spirito finito, rendendosi indipendente, diviene il male ed è (*Enc.* A. 468 aggiunge « immediatamente ») « tale estremo » (cioè tale estremo cattivo o separato dalla concreta essenza eterna). Nel quadro della logica hegeliana è completamente impossibile mantenere il male al di fuori della necessità di ciò che è comprensibile concettualmente. O il male è qualcosa di importante e di essenziale (questo mi sembra essere chiaramente il caso: ovunque entra, il male è il punto di svolta decisivo per l'intero sviluppo del diritto, della moralità, dello spirito oggettivo, della religione ecc.) — allora però dev'essere concepito come essenziale, reale, necessario e... buono; oppure è indifferente tanto quanto le decisioni positive che non possono essere dedotte dal concetto della verità. Il fatto che Hegel abbia cercato in realtà di giustificare il male come una sorta di *felix culpa*, mostrandone la necessità concettuale, trova una sua conferma nel fatto che all'interno del sapere assoluto il male non viene più tematizzato.

l'uomo, il quale è abbandonato dallo spirito *universale*. Tra Dio (l'*universale*) e l'uomo *singolo* si trova il figlio divenuto mondo inteso come il *particolare* che sta nel medio. L'universale ed il singolare potrebbero essere mediati reciprocamente dal mondo, ma nella situazione descritta qui non c'è (ancora) conciliazione. *Al posto di un sillogismo* si mostra un *estremo disgregarsi* dell'universale, del particolare e del singolare. Si potrebbero schematizzare così le opposizioni analizzate nel § 568:

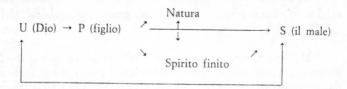

L'opposizione tra U e S, che viene realizzata dal peccato originale, viene « mediata » per mezzo dell'uscir fuori di sé di Dio nel particolare. Se si intende il termine « sillogismo » in un senso meno stretto e lo si interpreta piuttosto come una tripartizione, lo schema può essere rappresentato dalla medesima formula sillogistica U-P-S di quella che è appropriata per il § 567. La relazione di opposizione dei momenti del concetto si svolge però ora « *nell'elemento del particolare* ». Il particolare (il figlio divenuto mondo) è dunque l'elemento contenitore, cioè il campo di battaglia di U, P e S.

Si potrebbe paragonare il « non-sillogismo », che qui si mostra, allo pseudo-sillogismo della felicità trattato nei §§ 479-480. Anche là la verità di una totalità apparente consiste in una somma di opposizioni non tolte. Solo il concetto della libertà (§§ 481-482) dischiude la possibilità di una conciliazione dell'uomo con la sua più intima essenza.

§§ 569-570:

Il paragrafo 569 mostra come la rappresentazione religiosa concilia in se stessa e con l'unità dell'essenza originaria (§ 567) l'esteriorità reciproca dei momenti concettuali esposta nel § 568 nell'elemento della *singolarità* rappresentata (cioè nell'uomo Gesù). L'« opposizione dell'universalità e della particolarità », che era pensata ancora come un'unità originaria nel Dio trino, in quanto ciò è possibile secondo la rappresentazione, si è rivelata nella relazione di Dio al mondo cattivo come una lotta di due estremi. Ora viene rappresentata nei §§ 569-570 come un accadere totale, in cui gli elementi concettuali non solo si presuppongono reciprocamente, ma anche si includono, sia pure solo secondo la rappresentazione[10]. L'accadere comprende due tappe quasi storiche.

---

[10] È per me inspiegabile come THEUNISSEN (*op. cit.*, p. 280) nel § 569 e in altri testi hegeliani possa vedere espresso un « libero » (cioè, secondo il suo intendimento, un non-logicamente-necessario) « atto di redenzione ». Come argomento a difesa della sua tesi, secondo cui « sarebbe sbagliato voler vedere nella teo-logica hegeliana nient'altro che una soluzione dell'elemento teologico nell'elemento ' semplicemente ' logico », egli presenta « il genere dell'identità di U e S logicamente sviluppata nel nostro luogo [§ 569] » affermando che « questo genere infatti è il più ' illogico ' possibile ». Se ciò fosse giusto, l'argomento indicherebbe a mio avviso piuttosto che a Hegel non è riuscito ciò che egli voleva e non poteva non volere in forza del progetto della sua intera filosofia, cioè comprendere la necessità concettuale della realtà nell'intero e nelle sue parti essenziali. Hegel non ha certamente voluto negare la libertà dell'agire dello spirito assoluto, ma quando gli attribuisce libertà, amore, bene, iniziative, ecc., cerca subito di mostrare che queste « proprietà », come anche le decisioni e le opere in cui esse si mostrano, sono concettualmente, cioè logicamente, necessarie. La stessa cosa vale in rapporto agli eventi salvifici come incarnazione, risurrezione ecc. La teologia e tutti i « paradossi » che la religione si rappresenta devono infatti essere intesi come momenti necessari di un'onto-teo-logica che si autolegittima in quanto necessaria. Il progetto hegeliano di un comprendere onniabbracciante non concede spazio alcuno ai paradossi, che sono insolubili per principio. L'intera verità della religione viene

121

Nella prima tappa (§ 569: γ 1) si tratta di nuovo dell'unità dell'universale, nella forma della sostanza universale divinamente trina, e della singolarità, intesa come singolarità dell'autocoscienza umana. Poiché il Gesù storico è il figlio di Dio, egli unifica in sé l'eternità di Dio e la temporalità del creato. Quest'ultima è determinata mediante la filosofia della natura come una forma di manifestazione dell'esteriorità reciproca (*partes extra partes*), che contrassegna la singolarità sensibile. Il *particolare* (il figlio) media dunque l'universale (Dio) e la singolarità temporale.

Nel peccato originale però la singolarità si è radicalizzata pervenendo al male. Ma il figlio di Dio assume su di sé nella sua incarnazione anche questa forma estrema della singolarità. Con ciò egli si sottomette alla sentenza che Pilato ha pronunciato su di lui, affinché questa possa essere eseguita congiuntamente da ebrei e pagani. La nientificazione del particolare (del figlio divenuto uomo e mondo) che si è congiunto con il singolare (con l'uomo divenuto cattivo), la morte di Gesù, è tuttavia il « ritorno assoluto » all'essenza di Dio. La rinuncia alla sua singolarità nella sopportazione del dolore della morte, e dunque l'esatto contrario del male (cfr. §§ 511-512 e 568), è il « ritorno assoluto » all'origine uni-

conosciuta concettualmente all'interno della filosofia. Il modo in cui la religione si rappresenta questa verità non diviene quindi superfluo, e non lo diviene anche per il filosofo, poiché nessun uomo è puro pensiero. Ogni uomo è anche sentimento e rappresentazione; anche un filosofo non può fare a meno di rappresentarsi le verità che comprende e identificarsi emozionalmente con esse. Se ci sono ancora delle verità *al di fuori* del contenuto del pensiero filosofico, allora tutte le asserzioni hegeliane sull'universalità del pensare filosofico sono false e la sua intera impresa è un'illusione. Che l'esplorazione e la verifica del suo sistema possano tuttavia essere valide e fruttuose, questo dovrebbe essere giustificato da una teoria posthegeliana sulla relazione di logica e fede religiosa, relazione che tematizza la fede non — come Hegel — come una forma primitiva di conoscenza, ma come un pregare originario.

versale. La risurrezione dell'individuo Gesù realizza l'idea di Dio, intesa come lo spirito che è presente nel mondo temporale e che al tempo stesso vive eternamente. L'autocoscienza di quest'uomo è il sapere che è Dio. La negazione radicale della singolarità isolata (del male) costituisce la singolarità divina o assoluta, che si comprende in quanto concetto concreto dell'assoluto.

La seconda tappa (§ 570: γ 2) si compie nell'integrazione dell'avvento di Cristo nella vita e nell'autocoscienza del credente attraverso fede e intuizione. La verità del cristianesimo non è un qualcosa di oggettivo, che è tale *solo* per l'intuizione, — come la verità della religione greca —, ma è la vita, movimento e sapere, che pervade *ogni* elemento spirituale. La conoscenza rappresentativa dei cristiani è l'autoconoscenza concreta dell'assoluto. Quest'identità si realizza in quanto il soggetto credente riconosce la nullità e la malvagità della sua semplice naturalità astratta o isolata dall'assoluto (§ 567) e ricongiunge ed appropria l'unità realizzata da Gesù con l'essenza divina. L'imitazione di Cristo è il movimento, mediante cui il credente uccide la sua naturalità e la sua spiritualità finita, nella misura in cui si rendono indipendenti nei confronti dell'universalità infinita di Dio. Mediante questo morire si realizza l'unità del singolo uomo con Dio nello Spirito Santo. L'« inabitare » (*inhabitatio*) dello Spirito (Santo) nell'autocoscienza del singolo è il compimento dello spirito che è in sé e per sé, il supremo compimento possibile nell'elemento della rappresentazione religiosa.

L'abbandono e l'« esteriorizzazione » (*Entäußerung*) della singolarità umana secondo l'esempio di Cristo sono limitati da Hegel alla « determinatezza naturale immediata e alla propria volontà ». Si deve negare il fatto che l'isolamento della natura sensibile da quella spirituale costituisca, in quanto tale, già il male — un presupposto platonico che ha dominato quasi l'intero pensiero europeo; sono piuttosto l'assolutizzazione e l'illusorio rendersi infinito da parte della finitezza (l'idolatria, dunque) che costituiscono il male. Da ciò consegue che il male non può essere contrassegnato da un rapporto esclusivo alla natura o alla sensibilità, ma piuttosto rimanda ad una possibilità dell'uomo di interpretare diversamente il finito contro il senso proprio e la propria essenza, elevandolo ad un (irreale) infinito, o di amarlo come un qualcosa di infinito. Questa capacità è stata tematizzata nella tradizione religiosa occidentale sotto il nome di *superbia*. Ciò viene solo sfiorato da Hegel nel mettere in rapporto l'« esteriorizzazione » non semplicemente con la « determinatezza naturale immediata », ma anche con la « propria volontà ». L'assolutizzazione del finito esercita tuttavia la sua tremenda potenza non solo nell'ambito del volere, ma altrettanto in quello della percezione, del sentimento, della fede e del *pensiero*.

La ripresa molto breve alla fine del paragrafo 570 (γ 3) della teologia della grazia si limita al nocciolo della pneumatologia e trascura gli aspetti dell'ecclesiologia e della storia dela rivelazione del cristianesimo. È degno di nota che nell'interpretazione riassuntiva dell'evento cristiano della riconciliazione non siano menzionati neppure una volta « la comunità » e « il culto », ai quali la definizione generale dello spirito assoluto (§§ 554-555) e la trattazione dell'arte (§ 577) hanno attribuito un ruolo importante. Sembra che la religione rivelata si possa realizzare in un regno eterno dello spirito senza istituzioni, sacramenti, tradizioni e storie. L'evento di Cristo si universalizza nell'elemento delle testimonianze personali e nella devota imitazione.

La conciliazione descritta al § 570 nell'elemento della singolarità spirituale rassomiglia ad un sillogismo, sebbene anche qui la forma della rappresentazione impedisca la realizzazione di una compiuta totalità. Il processo esposto nei §§ 569-570 culmina di nuovo nell'interrogativo: possono l'universale (Dio) e il singolare (l'uomo) essere uno? La risposta è ancora una volta la seguente: il particolare, che è tanto l'universale quanto il singolare, può unificare entrambi. In quanto figlio di Dio divenuto uomo, Gesù è divenuto lo spirito conciliatore mediante la sua resurrezione. La formula « U è S (o S è U), poiché P è tanto U quanto S », ovvero « U-P-S » è perciò comune a tutti i paragrafi che trattano della religione cristiana (§§ 566-570). I tre stadi della teoria esposta in essi si distinguono però per il fatto che la struttura concettuale (U-P-S) dell'idea dello spirito assoluto che resta eternamente eguale a sé, è esposta a partire da tre lati (U, P e S), cioè da tutti i lati. La religione offre un'interpretazione completa dell'assoluto concreto, rappresentandosi i suoi momenti come tre nessi di eventi che risultano l'uno dopo l'altro. *Proprio questa* struttura concettuale (U-P-S) viene trattata rispettivamente « nel momento dell'*universalità* » (inizio del § 67), « nel momento della *particolarità* » (inizio del § 568) e « nel momento della *singolarità* in quanto tale » (inizio del § 569). La filosofia comprende queste storie come simbolizzazioni mitiche dei tre momenti U-P-S, che costituiscono l'unico concetto dell'assoluto, cioè il loro essere U=P=S. Ciò che la religione non consente — riconoscere l'identità delle sue storie come il concetto dell'assoluto eterno e sempre identico a sé — questo è consentito dalla filosofia, nella misura in cui essa traduce la religione nell'idioma del linguaggio concettuale.

§ 571:

Il processo, che è stato descritto nei §§ 567-570, è la mediazione assoluta dello spirito con se stesso nella dimensione della rappresentazione. Lo spirito si è rivelato come l'origine ed il compimento dei momenti che stanno nel tempo esterni l'uno all'altro. Il modo in cui questo (quasi)sillogismo risulta dalla lettura filosofica hegeliana della teologia cristiana, può ora essere schematicamente così riassunto [11]:

[11] M. THEUNISSEN (*op. cit.*, pp. 254 sgg.) fornisce un compendio

A: (567)   U (padre) ————→ P (figlio)   (U-P-S)

S (spirito)

B: (568)   U (Dio in quanto U-P-S)← → P (opera)

→ S $\left(\ \left\{\begin{array}{l}\text{spirito finito}\\ \text{il male}\end{array}\right.\right)$

(569) (1) U (Dio) = P (figlio) = S   (temporalità, male)

S = U

La conciliazione dei momenti raggiunta nel § 570 è un'esteriorità reciproca finché la rappresentazione domina la loro connessione. La religione rimane prigioniera della tem-

di alcune tesi della « Hegelforschung » in rapporto alle strutture dei « sillogismi » esposti nei §§ 566-570. Egli ammette che le figure proposte non risultano chiaramente dal testo (cfr. anche p. 292), ma ritiene tuttavia che si possa e si debba ricostruire una serie ben ordinata e in accordo con la dottrina della logica di forme diverse di sillogismo. Tutte le difficoltà degli studi sugli ultimi « Schlüsse » dell'*Enciclopedia* nel tentativo di far concordare questi paragrafi con la logica hegeliana del sillogismo hanno il loro fondamento nel presupposto che si « può difficilmente dubitare » (Theunissen, p. 254) della corrispondenza tra la logica *praticata* da Hegel nei §§ 566-570 e quella da lui *tematizzata* nei suoi trattati di logica (sia nella « grande » *Logica*, sia nell'*Enciclopedia*). Mi sembra che sia un'esigenza di metodo rigoroso analizzare in primo luogo una buona volta con esattezza — rinunciando alle esposizioni in cui Hegel esplicita come si deve pensare — come lo stesso Hegel procede di fatto, cioè seguendo il filo conduttore della sua logica implicita (o, come egli scrive nella *Prefazione* (p. V) alla sua *Filosofia del diritto*, « dello spirito logico »). Molto spesso si fanno notare importanti distinzioni tra questa logica e quella. Molti studiosi si precludono la possibilità di vedere la logica hegeliana praticata implicitamente, in quanto presuppongono che egli abbia impiegato sempre esattamente l'« organon » da lui composto. Essi tendono a conformare i testi hegeliani di filosofia reale alla sua *Logica* esplicita e, se necessario, ad emendarli alla luce di questa. Theunissen (*op. cit.*, pp. 276-277) ad esempio ricapitola dapprima la teoria del sillogismo della necessità, per rendere poi accessibili poralità. È vero che c'è un sapere *semplice* anche al livello dell'elemento religioso, che comprende ogni momento del vero, e precisamente nella forma della certezza semplicemente immediata, non ancora sviluppata, del sentimento religioso e della fede iniziale ed ingenua, ma questo sapere non può giustificarsi dal punto di vista razionale. La certezza della devozione religiosa precede lo sviluppo della dottrina della fede che è stato abbozzato. Un semplice sapere, che non mescola i momenti suscitati, ma li comprende in quanto articolazione di un'unica idea eterna, che si manifesta però nel tempo, è possibile solo nel conoscere concettuale. La verità si manifesta nel pensiero come connessione inseparabile di quei momenti, di cui si compone il concetto concreto dello spirito eterno.

Il passaggio che si trova nel § 571 dalla rappresentazione religiosa al pensiero filosofico non viene qui propriamente dedotto da Hegel, ma posto immediatamente. Deriva tuttavia dalle deduzioni, che sono state esposte nella parte teoretica della sua psicologia. *Intuizione* (§§ 446-448), *rappresentazione* (§§ 451-464) e *pensiero* (§§ 465-468) sono i tre livelli principali dello spirito soggettivo teoretico ed il *sentimento* è il fondamento più semplice dell'intuizione (§§ 446-447). All'inizio dell'annotazione al § 573 Hegel accenna al fatto che la relazione tra le forme del pensiero speculativo, della rappresentazione (religiosa) e dell'intelletto riflettente può essere giustificata solo mediante l'intero della filosofia e

i §§ 569-570 « con la chiave che questa teoria ci fornisce ». Ma il problema radicale della logica hegeliana non consiste proprio nel fatto che noi dobbiamo chiederci come il pensare che Hegel esercita si rapporta alla sua teoria del pensare? Del resto questa domanda deve essere posta non solo nei confronti della filosofia reale, ma anche in rapporto alla logica: quale logica (implicita) domina lo svolgimento hegeliano della *Logica* (tematica)? L'identificazione di entrambe sarebbe possibile se la logica esplicitata fosse effettivamente la νόησις νοήσεως pienamente razionale. Ma quale studioso della filosofia hegeliana accetterebbe questa tesi come propria convinzione?

specialmente mediante la logica: « È però l'intero decorso della filosofia, e specialmente la logica, quello che non solo ha fatto conoscere questa distinzione, ma anche ha giudicato o piuttosto ha fatto svolgere e giudicare la natura dalla distinzione proprio in queste categorie ».

L'unità religiosa del sentimento nello stile di Schleiermacher riporta alla vita ingenua, in cui la razionalità umana non può rivelarsi in modo adeguato. Solo il *pensiero* supera il pericolo della dispersione in ciò che è temporale, sensibile e singolare. Questo è il pericolo da cui la religione viene sempre di nuovo sviata e portata alla divinizzazione di ciò che è storicamente finito [12].

[12] FULDA (*op. cit.*, pp. 183 sgg.) ha accennato al fatto che Hegel sostituisce qui l'esigenza di una corretta deduzione della filosofia dalla religione per mezzo delle parole non chiare « anche » e « poi ». THEUNISSEN le intende come un'indicazione del fatto che secondo Hegel *all'interno* della religione c'è ancora un « pensare autocosciente » (§ 572) ed un sapere l'« inscindibile connessione dello spirito universale, semplice ed eterno in se stesso » (§ 571; cfr. THEUNISSEN, *op. cit.*, pp. 298-300). Benché sia consapevole che questa interpretazione contiene delle difficoltà, egli ritiene che qui Hegel accenni ad una differenza tra un « pensare autocosciente della religione ed il pensare propriamente filosofico » (p. 300). Questa lettura non tiene conto però di due fatti significativi: 1) nei §§ 571-572 Hegel segue semplicemente lo schema di tutte le sue esposizioni: le ultime frasi di una sezione offrono sempre il risultato dello sviluppo precedente, risultato che espone al tempo stesso una nuova figura o dimensione oltre quella sviluppata e superata. Sia nel § 571 sia anche nel § 572 la penultima proposizione termina con l'indicazione del risultato del suo intero sviluppo, risultato che porta oltre la religione. Se « il pensare (autocosciente) » appartenesse ancora alla religione, Hegel non avrebbe neppure nominato il passaggio dalla religione alla filosofia. La penultima proposizione del § 571 asserisce del resto chiaramente che riassume ciò che si è realizzato « nel suo risultato » (cioè nel risultato della mediazione religiosa, nel modo in cui è esposta nei §§ 567-570). 2) Theunissen non tiene conto del fatto che l'ultima proposizione del § 571 dice che c'è « questa forma » (cioè la forma del *pensare*), che è la forma della verità e perciò è anche la forma in cui può divenire oggetto il contenuto vero (o « la verità »

come contenuto, verità che certo è stata sentita ed intuita nella religione, ma non riconosciuta nella vera forma, cioè non è stata *pensata*). L'ultima frase del § 572 dice parimenti che « questo sapere », cioè il sapere del *pensare autocosciente* menzionato nella frase precedente, « quindi » (con il passaggio appena mostrato mediante il « poi ») « *è* » (corsivo mio) « il conosciuto *concetto* pensante dell'arte e della religione », cioè la conoscenza concettuale della libera necessità della verità, che si è già manifestata nella religione come contenuto. Ovvero, come scrive lo stesso Theunissen (pp. 300-301): « la religione rivelata diviene la filosofia in quanto comprende se stessa (meglio ancora sarebbe forse: la religione si *è* trasformata in filosofia in quanto...). Cfr. anche la critica di ANGEHRN a Theunissen, *op. cit.*, p. 366.

Capitolo V

LO SPIRITO ASSOLUTO: LA FILOSOFIA

La filosofia è il conoscere la verità nella forma adeguata
(§ 571). Con questa conoscenza è raggiunto il τέλος del
pensiero, cosicché esso non può scoprire più nessun livello
più elevato o nessuna dimensione più vera. Naturalmente il
raggiungimento del *livello* filosofico, in quanto raggiungimento della forma adeguata in cui la verità si rivela, non è la
stessa cosa del pieno sviluppo della verità compiuta all'interno di un sistema filosofico elaborato, ma è principalmente tutto ciò che può e deve essere esplicitato, contenuto nel
processo di sviluppo che è risultato. Mostrando, dopo la
deduzione del contenuto, che il pensiero filosofico è la sola
forma adeguata e necessaria della verità, abbiamo espresso l'intero della verità. Al termine del suo processo il pensiero
filosofico può guardare indietro *solo a se stesso*, cioè comprendere nella vera forma del pensiero filosofico ciò che nel
corso del suo sviluppo ha già riconosciuto parzialmente e in
gradi sempre più elevati. Qui, nella conclusione, è raggiunto
il punto in cui la logica metafilosofica della filosofia e la filosofia contenutistica, consistente in logica, filosofia della natura e filosofia dello spirito, coincidono. A partire da questo punto l'intero dell'*Enciclopedia* si manifesta come un'approssimazione graduale all'ideale del pensiero che torna cir-

131

colarmente in se stesso o come il movimento che procede da un inizio immediato e che alla fine ritorna nell'inizio, in modo tale che quest'ultimo si manifesta come l'intero riempito di ogni possibile contenuto e forma. « Questo movimento che è la filosofia si trova già compiuto, in quanto la filosofia attinge alla conclusione il suo proprio concetto, cioè *guarda indietro* soltanto al suo proprio sapere »[1]. Si compie con ciò l'esigenza formulata all'inizio dell'*Enciclopedia* in rapporto alla sua compiutezza sistematica: la filosofia deve mostrarsi come « un circolo che ritorna in sé », che produce e giustifica il proprio oggetto ed il suo stesso inizio (§ 17). Alla fine dell'intero sviluppo dobbiamo essere consapevoli di ciò che ora abbiamo propriamente raggiunto. Dobbiamo ricordarci l'intero significato del nostro sapere, per non abbassarci all'astratta saggezza scolastica, ma vivere ed agire in questo sapere. Ciò che Hegel afferma dell'idea assoluta in un'aggiunta al § 237, vale *a fortiori* in rapporto allo spirito assoluto: « il vero contenuto però non è altro che l'intero sistema [...], l'universale [...] in quanto la forma assoluta in cui tutte le determinazioni, l'intera pienezza del contenuto posto mediante queste stesse, è ritornato. Sotto questo ri-

---

[1] Il primo significato del termine « sillogismo », decisivo per l'ultimo capitolo, è espresso qui chiaramente. L'interpretazione dei paragrafi 572-577 deve essere continuamente consapevole dell'identificazione hegeliana — presa da Aristotele — di ἀρχή e τέλος. Cfr. ARISTOT., *Metaph.* Θ 8, 1049 b 11 e Hegel, *Enciclopedia*, § 204 annotazione: « Lo scopo[...] produce solo se stesso ed è alla *fine* ciò che era all'*inizio*, nell'originarietà; mediante questo automantenimento esso è solo ciò che è veramente orginario ». Nell'ultimo capoverso di questa annotazione viene richiamata l'attenzione sul fatto che e sul modo in cui lo scopo — come del resto anche il meccanismo (§ 197) e la vita (§ 217) — è un sillogismo. Come sillogismo oggettivo lo scopo contiene una negazione sia della soggettività immediata sia dell'oggettività immediata, una negazione che « come è stato menzionato nel [...] § 192 [alla fine della trattazione del sillogismo] viene ignorata e tralasciata nella forma dei sillogismi intellettuali » (dunque nelle figure formali del sillogismo).

guardo l'idea assoluta è da paragonare al vecchio che pronuncia le stesse frasi religiose del fanciullo, ma per il vecchio queste frasi hanno il significato di tutta quanta la sua vita. Se anche il fanciullo comprende il contenuto religioso, questo vale per lui certo soltanto come qualcosa al di fuori del quale sta ancora la sua vita intera e il suo intero mondo. Altrettanto vale poi anche per la vita umana in generale e per gli eventi che ne costituiscono il contenuto. Ogni lavoro è soltanto diretto allo scopo, e quando questo viene raggiunto ci si meraviglia di non trovare nient'altro che proprio quello che si voleva. L'interesse sta nell'intero movimento [...]. Allo stesso modo anche il contenuto dell'idea assoluta è l'intera espansione che avevamo finora davanti a noi. L'ultima cosa è la comprensione che l'intero sviluppo costituisce il contenuto e l'interesse ».

Il guardare indietro alla filosofia realizzata nell'*Enciclopedia*[2], cosa che Hegel compie negli ultimi sei paragrafi, determina il concetto della filosofia a) come il risultato delle due precedenti dimensioni dello spirito assoluto, che Hegel chiama qui semplicemente « arte » e « religione » (§§ 572-573), e b) come la totalità risultante dalle parti precedenti dell'*Enciclopedia*: logica, filosofia della natura e filosofia dello spirito (§§ 574-577). La determinazione concettuale della dimensione più elevata del pensiero è una ricapitolazione. In che misura ci sia anche qui una distinzione tra il concetto immediato e quello sviluppato deve essere discusso in seguito, tra l'altro nella spiegazione dello « svolgimento ulteriore » nominato al § 575.

[2] Cfr. *Enc.*, § 243 (il penultimo paragrafo conclusivo della logica): « La scienza chiude in questo modo con il comprendere il concetto di se stessa, come concetto della pura idea, per la quale l'idea è ».

1. La filosofia come compimento dell'arte e della religione (§§ 572 - 573)

§ 572:

Il paragrafo 572 riepiloga nella maniera più semplice le distinzioni ed i passaggi tra arte, religione e filosofia. Il filo conduttore consiste ancora nella coppia di concetti *forma e contenuto*.

L'*arte* ha una relazione *esteriore* rispetto al suo oggetto. La sua forma, nella quale il divino è presente per il soggetto umano, consiste da un lato nell'intuizione estetica (§§ 556-557), dall'altro nel produrre artistico (§ 560). Il suo contenuto è perciò frazionato in « molte figure indipendenti »: lo spirito assoluto si mostra all'interno della dimensione artistica come la venerazione di una molteplicità di divinità (§§ 558-559).

La *religione* adora l'unico Dio, ma anche la sua forma è contrassegnata da un certo dualismo. È vero che si distingue dall'arte in quanto comprende i fenomeni e gli accadimenti in una totalità finitamente infinita, ma l'intero della serie di presupposti quasi storici, rappresentata dalla religione (cfr. §§ 567, 568, 569, 570), non viene concepito come una totalità articolata, ma « tenuto insieme » immediatamente e senza vera comprensione mediante la semplice intuizione della devozione.

Ciò che Hegel chiama nel § 571 la « semplicità della fede e della devozione del sentimento », viene definito nel § 572 « l'intuizione semplice e spirituale ». Qui viene dunque detto evidentemente che l'arte (cioè la religione greca) e la religione (cristiana) *non* possono essere distinte mediante la contrapposizione di intuizione e rappresentazione. Accenna a questo fatto anche l'asserzione secondo cui la forma dell'arte viene caratterizzata qui non come « intuizione », ma come un particolare « *modo* di intuizione ». Questo modo di intuizione della devozione cristiana e del culto cristiano è più spirituale di quello greco, poiché si tratta di una *visio* (*beatifica*) del vero Dio, uno e trino, che si dispiega nella storia come mistero divino. Questo Dio deve essere compreso concettualmente per passare nel pensiero autocosciente dello spirito che si riconosce nella filosofia. Il concetto dello spirito assoluto, che si realizza incompiutamente in arte e religione, comprende il loro contenuto come la necessità libera [3] dello sviluppo dei suoi momenti peculiari. Interpretando l'arte e la religione, scopre dunque se stesso. Il concetto autocomprendentesi di Dio è la scienza della filosofia.

§ 573:

Questo paragrafo è un buon esempio del modo hegeliano di complicare a poco a poco un'asserzione semplice mediante apposizioni, sinonimi, paralleli ecc. a tal punto che per il lettore diventa difficile ' oltre agli alti alberi vedere anche la foresta '. La semplice struttura dell'unica lunga frase che Hegel aveva scritto nella prima edizione al posto di questa (A. § 473) è la seguente asserzione: « Questo conoscere [citato alla fine di A. 472, BC. 572] la necessità del *contenuto* della rappresentazione assoluta, così come la necessità di entrambe le *forme* [...] si trova già compiuto, in quanto alla fine la filosofia comprende il suo proprio concetto, cioè guarda indietro soltanto al suo sapere ». Il resto del paragrafo

[3] Una buona interpretazione della libertà, che connota il concetto filosofico della necessità, è fornita da ANGEHRN (*op. cit.*, pp. 356-357, 363-366, 373-375), che mette in evidenza dalla filosofia della religione passi decisivi (per es. Suhrkamp 16, pp. 151, 216-217 e 17, pp. 339-340, 534). Nei paragrafi conclusivi del suo sistema Hegel deve mostrare che all'inizio dell'ultima sezione la « liberazione spirituale » messa in luce (§ 555, cfr. § 573) viene di fatto raggiunta mediante la filosofia. Il compito consiste dunque nel mostrare come la necessità del comprendere è la realizzazione della libertà suprema, cioè dell'assoluto essere presso di sé dello spirito (cfr. anche §§ 381-384).

A. 472 contiene 1) un'interpretazione ricapitolatrice « delle due forme », cioè a) della forma dell'intuizione immediata che contraddistingue l'arte (o ποίησις, poesia), e b) della forma della religione che — come forma della rappresentazione presupponente —, da un lato mantiene l'opposizione tra una rivelazione oggettiva ed esteriore e la fede soggettiva ed interiore, dall'altro lato la supera a poco a poco per mezzo del « movimento » soggettivo (dell'approssimazione a Dio ricordata sopra); 2) una caratterizzazione di « questo conoscere la necessità » come una conoscenza, che da una parte riconosce il contenuto e la forma non ancora completamente libera delle rappresentazioni estetiche e religiose — e dunque non le rigetta né le disprezza —, dall'altra parte le solleva alla forma completamente libera del pensiero concettuale.

Il senso della dichiarazione principale del paragrafo è consegnato alla tesi inequivocabile, secondo cui la filosofia è la suprema conoscenza raggiungibile, interamente libera e dunque assolutamente vera, la quale comprende la necessità del suo contenuto peculiare e della sua specifica forma di conoscenza, così come la necessità di tutti gli altri generi del sapere ed in generale di tutti i veri contenuti. Con ciò la filosofia, esposta da Hegel, è giunta alla sua conclusione, cioè al suo sillogismo conclusivo. La sola cosa che essa ormai può fare, è conservare viva e attivamente pensante la verità sviluppata in e mediante essa, e comprendere come e perché deve essere suo autosviluppo, così come è stato esposto, e nient'altro. La libertà della filosofia preannunciata all'inizio della filosofia dello spirito (§§ 382-384), realizzata alla fine dell'intera filosofia e citata in quasi tutti i paragrafi conclusivi (cfr. C. § 555, 571 ann., 572, 573, 575, 577), non consiste in una assai poco hegeliana « libertà » radicale per nuove possibilità, ma — come nell'etica di Spinoza — nella libertà della conciliazione concettuale con l'effettiva realtà naturale, sociale e culturale, così come essa dovette e deve svilupparsi nella storia dell'umanità.

La prima proposizione di C. § 573 afferma pressoché lo stesso di ciò che è detto nel § 572: la filosofia è la conoscenza della *necessità* del *contenuto* assoluto, che viene rappresentato nella religione, come pure nelle due *forme* dell'arte e della religione. Mentre la forma della religione nella prima edizione dell'*Enciclopedia* (A. § 573) viene suddivisa in un momento oggettivo (la rivelazione oggettiva, rappresentata in quanto proveniente dall'esterno) e in un momento soggettivo (l'abbandonarsi soggettivo della fede), in BC. § 573 Hegel ha modificato questo schema, distinguendo per mezzo del « da un lato - dall'altro », che in A. § 573 differenzia l'arte (la ποίησις o « poesia » dell'intuizione immediata) dalla religione: (1) la connessione a) dell'intuizione e della sua poesia, b) della rappresentazione religiosa e c) della rivelazione oggettiva e (2) la fede soggettiva secondo i suoi tre gradi.

Forma e contenuto coincidono nella filosofia, in quanto la forma assoluta (il concetto che si comprende) contiene in sé il contenuto (il concetto che si riconosce) ed *è* identico ad esso. L'identità con sé dell'assoluto, identità che viene esposta nelle rappresentazioni della religione come la storia di Dio e degli uomini, si sviluppa ora nella dimensione del sapere libero, cioè nel conoscere, mediante il quale l'assoluto comprende la necessità del suo sapere e del suo sviluppo. Con la traduzione dell'avvento religioso della verità nel linguaggio concettuale del sapere filosofico, la filosofia ha raggiunto non solo la vera forma o la vera dimensione del pensiero, in cui l'assoluto può dispiegare il suo contenuto — questa dimensione era già presente quando l'*Enciclopedia* cominciava con la *Logica* —; essa inoltre a) ha sviluppato il contenuto del vero pensiero, per lo meno nelle sue linee principali, b) ha mostrato l'identità concreta di questo contenuto con la vera forma e con ciò c) ha giustificato la forma posta in modo semplicemente immediato o postulata all'inizio della logica. L'intera opera della filosofia « si trova già compiuta ». Essa è « alla fine » del suo movimento; le rimane soltanto « di guardare indietro al suo sapere ». Deve solo « ricordare » o realizzare ciò che ora sa già dopo tutte le sue scoperte. La metafilosofia, che sembra ora cominciare, non è altro che il sapere che la filosofia sviluppata nell'*Enciclopedia* è il sapere vero, cioè il sapere la verità nella vera forma del conoscere. Il sapere assoluto è il conoscere che questo sapere è l'intero della verità adeguata.

L'ultima proposizione del § 573 ci offre il filo conduttore per l'interpretazione dei quattro paragrafi seguenti, in cui la filosofia alla fine del suo sviluppo completo viene esposta come sillogismo e conclusione di tutti i sillogismi e conclusioni. Il « movimento » pensante, che precede il raggiungimento del termine immobile e dell'origine di ogni movimento, perviene alla conclusione in un sapere che guarda indietro a se stesso, cioè un sapere che si ricorda e si concepisce retrospettivamente, un sapere che oltrepassa la successione temporale di parole o pensieri. Benché il pensiero si esprima necessariamente nella finitezza dell'essere l'uno accanto e dopo l'altro temporale e verbale (cfr. § 18 ann.), la sua essenza più riposta non è un essere-in-cammino, ma un uscire-da-se-stesso e un ritornare-a-se-stesso in un alcunché di unico, che nell'ultimo paragrafo dell'*Enciclopedia* viene descritto come « l'idea eterna in sé e per sé » che « si attua, si produce e gode di sé eternamente in quanto spirito assoluto ». Le tre manifestazioni dell'unico sillogismo conclusivo — le tre parti dell'*Enciclopedia*, in cui il « Dio » che si sa si rivela a partire da una prospettiva sempre diversa — vengono adeguatamente comprese alla fine del testo *come* le manifestazioni dell'assoluto concreto, che si sviluppa all'interno della sua vita, la quale comprende ogni realtà effettiva ed ogni pensiero. Naturalmente la storia delle scoperte umane procede e le ricerche sulla natura, sull'uomo e sulla società porteranno alla luce fatti sempre nuovi, ma non c'è più niente di *radicalmente* ed *essenzialmente* nuovo, che possa arricchire l'essere, il movimento ed il sapere dell'assoluto. Tutto l'essenziale è stato detto; il resto riguarda solo la *manifestazione* dell'essenziale (cfr. § 575) [4].

[4] Mi sembra si possa rispondere in modo breve ma decisivo con *Enc.*, §§ 13-14 alla questione dibattuta con grande acume da FULDA (*op. cit.*, pp. 187 sgg., 225 sgg.) di come la storia della filosofia sia o debba essere discussa nell'*Enciclopedia*. Se teniamo libera la nostra interpretazione dei testi hegeliani dalla riflessione del nostro secolo e dall'incredulità odierna nella forza della ragione, nell'opera di Hegel è difficile trovare un luogo che possa suscitare dubbi sulla sua tesi, secondo cui « l'ultima filosofia in ordine di tempo » (dunque quella hegeliana) « è il risultato di tutte le filosofie precedenti » e secondo cui quest'ultima filosofia deve « contenere quindi i principi di tutte » le filosofie che sono venute prima nella storia; « essa è perciò, se d'altra parte è filosofia (qui non si parla di pseudofilosofie, sofismi, esercizi raziocinanti dell'intelletto), « la più sviluppata, la più ricca e la più concreta ». A partire da questa (almeno provvisoriamente) ultima filosofia tutte le filosofie precedenti appaiono come singoli sviluppi di un principio particolare nella forma di una connessione sistematica (che del resto può essere assai manchevole). Come Hegel ha cercato di mostrare nelle sue *Lezioni sulla storia della filosofia*, tutte le filosofie del passato — « se d'altra parte » furono « filosofie » — furono manifestazioni *unilaterali* e *parziali* di « una » unica « filosofia » nei « diversi gradi di formazione », oltre i quali essa doveva realizzarsi. Che la filosofia hegeliana *non* sia una filosofia semplicemente provvisoria, anch'essa parziale ed unilaterale, esigerebbe una dimostrazione della pretesa che lo sviluppo della sua filosofia abbraccia e comprende alla fine l'intero della realtà e del pensare, cioè l'intero della realtà che si autoconosce. Mostrare questo è esattamente ciò che sta a cuore a Hegel negli ultimi paragrafi dell'*Enciclopedia*. Se gli riesce, questa filosofia ha veramente portato a compimento ciò che ha promesso in principio, in quanto si è definita come « la scienza della *ragione* [...] e precisamente in quanto la ragione è cosciente di se stessa come *di tutto l'essere* » (*Enc.* A. § 5). Al massimo egli potrebbe ancora accettare che la sua esposizione del pensiero assoluto della verità eterna costituisce l'inizio per una nuova storia, che sarebbe paragonabile al principio parmenideo, in quanto Parmenide ha già contenuto in un certo modo, sia pure in una maniera molto immediata, l'intero di tutte le filosofie che dovevano svilupparsi a partire dal suo pensiero. Hegel ha anche detto e scritto ripetutamente che la sua esposizione aveva bisogno di essere

Le asserzioni qui sostenute sul senso della conclusione con cui Hegel termina l'esposizione del suo sistema devono essere dimostrate mediante una spiegazione dei paragrafi 574-577. Senza entrare in polemica con altri commentatori, reste-

migliorata nel dettaglio. La sua « fede nella ragione » non poteva tuttavia simpatizzare con lo storicismo, che ci suggerisce questa domanda: « ma allora non si deve attribuire a Hegel la pretesa secondo cui l'assoluto si sarebbe compreso solo nella sua filosofia? » (Fulda, p. 193). Pretendere che l'assoluto sia compreso sotto certi aspetti certo già prima, ma *completamente* solo nel suo sistema, non era nulla di nuovo. Questa pretesa è stata espressa per esempio anche da Cartesio e Spinoza. La domanda propriamente sistematica è tuttavia se la pretesa, che a noi sembra incredibile, non sia un'implicazione necessaria e ovvia della definizione hegeliana della filosofia. Un hegelismo che fosse « aperto » ad un rinnovamento *radicale*, dovrebbe negare la verità (che è solo « nell'intero ») del sistema esposto da Hegel, poiché essa sarebbe unilaterale tanto quanto tutte le verità precedenti. Se l'*Enciclopedia* « espone » la verità raggiunta nella storia della filosofia « puramente nell'elemento del pensare » (§ 14), non ha anche bisogno di esporre *la massima* verità ancora come uno storico « sviluppo del pensiero ». Le avventure storiche dello spirito pensante devono essere presentate in quanto tali all'interno dell'*Enciclopedia* tanto poco quanto la storia universale (o la storia dello spirito oggettivo), la storia dell'arte o la storia della religione trovano posto come tali in uno sviluppo sistematico della verità infinita. *Che* lo spirito si realizzi necessariamente nella forma di un accadere che si costituisce a partire da storie diverse, deve essere dedotto dal concetto dello spirito. Come l'idea deve alienarsi nella natura, così lo spirito ha necessariamente il lato di « quella esteriorità storica » (§ 14). Poiché nel complesso, cioè a prescindere da circostanze contingenti, caratteri, ecc., lo storico « sviluppo del pensiero » è *il medesimo* dell'autocostituzione del pensiero sistematico tracciata dalla logica, una trattazione esplicita della storia della filosofia non sarebbe niente di più che una ripetizione superflua di quel pensare che può giustificarsi solo mediante la giustezza del suo processo concettuale e non può giustificarsi affatto mediante l'empirica successione di manifestazioni temporali. I paragrafi 13 e 14 dovrebbero mettere in guardia dal non lasciarsi fuorviare da allusioni di Hegel — per esempio nei paragrafi sull'arte —, le quali, così come possono sembrare rimandi a fatti storici, possono tuttavia derivare la loro giustificazione *solo* da concatenazioni concettuali.

rò fedele al proposito ed allo stile di questo testo, prendendo posizione solo in alcune note nei confronti delle interpretazioni di Fulda, Theunissen, Angehrn e Geraets.

2. La filosofia come ritorno al suo inizio (§ 574)

Nel § 574 incontriamo uno dei pochi casi, in cui Hegel ha dapprima modificato profondamente nella seconda edizione (B. § 574) il testo della prima edizione della sua *Enciclopedia* (A. § 474), mentre nella terza edizione si avvicina nuovamente a quello della prima stesura. Il contenuto della prima proposizione del § 574 è dello stesso tenore nella seconda e nella terza edizione; si distingue dal testo della prima edizione (§ 474) solo per un irrilevante cambiamento stilistico (« Questo concetto della filosofia » invece di « Questo suo concetto »), l'omissione di un « o » e l'inserimento di un'aggiunta chiarificatrice (« come nella sua realtà »). Hegel ha invece ritoccato molto per due volte la seconda proposizione, là dove la seconda volta ha assunto elementi da entrambe le stesure precedenti, ma si è certo orientato globalmente più verso la prima che verso la seconda stesura.

Mentre la prima e la terza edizione aggiungono altri tre paragrafi paralleli (A. 475-477; C. 575-577), la seconda edizione conclude inaspettatamente il sistema con il paragrafo 574. Il cambiamento della seconda proposizione di A. 474 in B. 574 dipende, come vedremo, da ciò.

Il fatto che B. 574 nella seconda edizione funga da ultimo paragrafo e da risultato finale dello sviluppo del sistema hegeliano, dimostra il significato straordinario delle due proposizioni conclusive da cui è composto. Se possiamo mostrare che B. 574 e C. 574 asseriscono in fondo la stessa cosa e non accettare il fatto che Hegel ha mutato radicalmente tra il 1827 ed il 1831 il suo concetto della scienza, dobbiamo muovere dal fatto che tanto B. 574 quanto C. 574 siano decisivi per l'interpretazione di ciò che Hegel propriamente vuole. I paragrafi aggiunti nel 1827 e 1831 (A. 475-477; C. 575-577) non possono in nessun caso contraddire ciò che è asserito da A. 474, BC. 574; possono solo confermare, illustrare, spiegare, sviluppare o utilizzare questi paragrafi.

Nella prima proposizione di A. 474 e BC. 574 Hegel afferma in modo inequivocabile che il circolo del pensiero filosofico si è chiuso: il concetto della filosofia che è stato determinato nei §§ 572-573 (A. 472-473), come risultato dello spirito che si sviluppa in arte e religione e perviene a sé nel pensiero di se stesso, non è solo la conclusione della filosofia dello spirito compiuta, ma anche il compimento della filosofia in generale. Questa dichiarazione si accorda perfettamente con le determinazioni del concetto della filosofia contenute nei §§ 17-18 e 236-243. Il pensiero che si comprende è, in quanto τέλος, la perfetta realizzazione, e dunque l'esser--divenuto-vero, l'«inveramento» o la «convalida» dell'ἀρχή, che nella logica veniva espresso con il nome di «idea che pensa se [stessa]». Nel § 574 Hegel rimanda espressamente al § 236, in cui la logica raggiunge il suo concetto più elevato e cita parzialmente il paragrafo: «L'idea come unità dell'idea soggettiva e oggettiva è il concetto dell'idea, per il quale l'idea in quanto tale è l'oggetto [...] — un oggetto nel quale tutte le determinazioni sono racchiuse. Quest'unità è quindi *l'assoluta verità e tutta la verità*, l'idea che pensa se stessa e precisamente qui *in quanto* idea pensante, in quanto idea *logica*». La definizione dell'idea assoluta, il risultato che è al tempo stesso il compendio dell'intera logica, è il *concetto* dell'idea o la forma *logica*, semplicemente pensata e pensante, dell'*assoluto*. Tra questa forma logica e l'idea interamente realizzata (l'«universalità convalidata», § 574) con cui si chiude il sistema, c'è solo la distinzione tra l'astratto (l'inizio) ed il concreto. «Il logico» («*das Logische*», cioè l'idea assoluta che contiene in sé tutte le determinazioni logiche e le supera), ovvero «la logica» (compendiata nel § 236) si è

ora « convalidata » nel risultato dell'intera *Enciclopedia* o si
è solo ora verificata[5]. In quanto essere astratto e pensiero,
il logico manca non solo della concrezione della realtà naturale e spirituale, che potevano essere discusse solo nella filosofia reale, ma anche di una legittimazione radicale. Al suo
inizio la filosofia non può giustificare adeguatamente né la sua
forma né il suo contenuto; le determinazioni iniziali sono necessariamente immediate ed astratte. Ogni inizio è perciò solo
provvisorio, come Hegel continua a ribadire, e la responsabilità compiuta dell'inizio deve venir differita fino al punto in
cui le sue immediate posizioni e presupposizioni si manifestano come conclusioni del pensiero deduttivo. Questo punto
viene raggiunto solo alla fine dell'intero processo di pensiero,
poiché l'*intera* costruzione del sapere riposa su quei presupposti iniziali. Finché il concetto non comprende ancora se
stesso, ma domina in ogni pensare ed essere solo come *possibilità nascosta* o anticipazione insufficiente della compiuta autoconoscenza dello spirito in ogni pensare ed essere (cioè finché
« il concetto », cioè il concetto dell'idea o l'idea « solo pensata », non è ancora per sé, ma « solo in sé »), il pensiero
resta irretito in un « giudicare presupponente ». Non perviene
alla sintesi dell'elemento astrattamente logico con la realtà di
natura e spirito ed i presupposti da cui è guidato appaiono
solo in parte come i momenti necessari, in cui il concetto si
sviluppa necessariamente per comprendersi. Nella conclusione
del movimento compiuto del pensiero tutte le determinazioni
dell'essere e del pensare sono superate nel puro principio del
comprendere. La scienza compiuta ha giustificato non solo
tutti i passi del suo procedere dimostrativo, ma anche il suo
punto di partenza ed i postulati che vi erano contenuti. L'inizio si manifesta ora in quanto dedotto. Come tale è il risul-

---

[5] Cfr. l'appunto di Hegel ad A. 475 (« Hegel-Studien » 9, p. 36):
« Compimento — diventare concreto del logico ».

tato e la fine della filosofia. Nel suo esordio il logico « si è manifestato », però solo come un qualcosa di immediato.

Giustamente Geraets (p. 86) cita a questo proposito il seguente periodo dell'introduzione alla *Logica* di Hegel (*G.W.* 11, p. 28): « Così dunque a dire il vero la logica deve dapprima essere imparata come qualcosa che certamente si comprende e si penetra, ma di cui all'inizio risulta mancante l'estensione, la profondità e l'ulteriore significato. Solo a partire da una più profonda conoscenza delle altre scienze il logico si eleva per lo spirito soggettivo come non solo un qualcosa di astrattamente universale, ma come l'universale che abbraccia in sé la ricchezza del particolare; — in modo analogo la medesima sentenza morale non ha, nel senso del giovanetto, che pur l'intende del tutto correttamente, quel significato e quella portata che ha nello spirito di un uomo esperto della vita, per il quale esprime dunque l'intera forza di ciò che vi è contenuto. Così il logico non ottiene dapprima l'apprezzamento del suo valore, se non in quanto è divenuto il risultato dell'esperienza delle scienze; a partire da ciò esso si presenta allo spirito come la verità universale, non come una conoscenza *particolare accanto* ad altra materia e ad altre realtà, ma come l'essenza di tutto questo rimanente contenuto ».

L'interpretazione sostenuta in questo mio commento concorda con quello che Hegel afferma all'inizio dell'*Enciclopedia* sul cominciamento della filosofia (§ 17). Contro l'obiezione secondo cui il suo inizio con il puro pensiero, cioè con la logica o con « l'elemento logico » sarebbe arbitrario, egli dà due risposte: 1) quando filosofiamo, dobbiamo pensare. Il pensare però è un libero porre, che non trova altrove il suo oggetto, ma lo trova in se stesso. L'oggetto proprio del pensare filosofico è questo stesso pensare. Ciò discende dall'essenza della filosofia. 2) Nella seconda risposta hegeliana sono delineati i paragrafi conclusivi del sistema. Infatti, bisogna ammetterlo, l'inizio con l'elemento logico, così come ogni inizio in filosofia, è un inizio immediato, posto soltanto e non ancora giustificato. Dimostrare la necessità — e dunque l'esser concettualmente mediato — di questo inizio, è tuttavia proprio il compito ed il senso del filosofare. Con ciò l'apparente arbitrio dell'inizio fattuale si trasforma nella manifestazione immediata, ma come tale tuttavia necessaria, di ciò che è propriamente, che a dire il vero era presente ed operante fin dall'inizio, ma si rivela solo alla fine del compiuto processo di pensiero e mostra quindi come è in sé e per se stesso. La compiuta dimostrazione della necessità dell'inizio coincide con l'intero della filosofia. Solo alla fine, nel risultato « in cui essa [la filosofia] guarda indietro al suo inizio », si sa, cioè si comprende, perché si doveva cominciare con la logica e con ciò che vi è di più immediato. Poiché non si può cominciare in generale nella filosofia, se non si sa che cos'è il pensare (scientifico) o la scienza, il concetto primo, nel senso del concetto iniziale, è il concetto della scienza. Un pensare *iniziale* non è però in grado di riconoscere questo concetto in un modo *scientifico*. Esso trova aiuto in autorità o istituzioni. Solo alla fine della scienza completamente sviluppata è possibile per la filosofia — mediante un guardare indietro metascientifico al cammino percorso — dire in una maniera scientificamente accettabile che cosa e come siano propriamente pensiero, scienza e filosofia. « Questo è addirittura il suo unico fine, opera e scopo: giungere al concetto del suo concetto e così al suo ritorno ed alla sua soddisfazione » (§ 17). Questo scopo è raggiunto in A. 474, BC. 574: essendo compiuta, la filosofia sa finalmente perché doveva cominciare come ha fatto. Così essa si è manifestata come « un circolo che ritorna in sé » (§ 17). Si veda anche il § 18 ann. con cui si chiude l'introduzione, dove il procedere lineare del testo e l'apparente essere uno accanto all'altro dei momenti del circolo sovraspaziale e sovratemporale della realtà che si pensa, sono contrassegnati come un'illusione ottica, a cui ci seduce la dimensione del rappresentare.

Dicendo che alla fine della filosofia dello spirito il logico (*das Logische*) si è sollevato « dall'*apparenza*, che aveva in esso [cioè nel " giudicare presupponente "] », al puro principio del concepire [6], Hegel allude alla delucidazione che ha luogo in C. 575-577 (A. 475-477) di un *nuovo* modo di manifestarsi del logico divenuto ormai possibile. All'inizio il logico (l'idea assoluta) appare come qualcosa di immediato e di presupposto [7]; *dopo* il compimento dell'intero movimento del pensiero esso si manifesta in una nuova forma, in quanto il concreto pensare dell'assoluto, pensare che si concretizza in ogni realtà della natura e dello spirito. In questa manifestazione il logico divenuto concreto (l'idea completamente concreta) è proprio « lo spirituale » (*das Geistige*) dello spirito: il λόγος divino (ovvero lo spirito), che è tanto l'inizio (ἀρχή) quanto anche la fine (τελευτή). Il compimento è l'idea che è concreta nella natura e nello spirito.

Nell'ultimo paragrafo della seconda edizione dell'*Enciclopedia* (B. 574) è conservato ciò che vi è di essenziale in A. 474 e C. 574, ma l'accenno alla manifestazione iniziale del logico è stato sostituito mediante un'osservazione che sottolinea di nuovo il fatto che la filosofia toglie in sé l'arte (« l'intuizione concreta » del contenuto dell'elemento spirituale) e la religione (la « rappresentazione concreta » di quel contenuto) e realizza adeguatamente la loro verità. La proposizione suona così: « In questo modo la scienza è tornata al

---

[6] In A. 474 l'ultima frase dice: « In questo modo la scienza è ritornata nel suo inizio e il logico è il suo *risultato*; la *presupposizione* del suo concetto o l'immediatezza del suo inizio e il lato dell'*apparenza* che vi aveva in essa sono tolti ». Il soggetto dell'intera frase è dunque « la scienza ». Questa appare nell'immediatezza dell'inizio. Nella terza edizione l'identità del logico (concreto) e della scienza viene forse più accentuata rispetto alla prima edizione, ma non c'è oggettivamente distinzione alcuna.

[7] Cfr. anche § 17: « Inoltre il punto di vista, che appare così come *immediato*, deve... ».

suo inizio e il logico è il suo *risultato* inteso come lo *spirituale*, che si è provato come la verità che è in sé e per sé, e dal suo giudicare presupponente, dall'intuizione e dalla rappresentazione concrete del suo contenuto si è elevata al suo puro principio parimenti come a suo elemento». L'*Enciclopedia* del 1827 conclude dunque con la tesi, secondo cui la scienza contiene l'intero delle verità logiche, estetiche e religiose e si è sollevata alla concreta autoconoscenza dell'assoluto. Il sapere dello spirito assoluto è il concretarsi della logica ed il compimento dello spirito. Se Hegel avesse ritenuto indispensabili i paragrafi A. 475-477 e C. 575-577, la seconda edizione dell'*Enciclopedia* non sarebbe completa. Ma questo sembra impossibile. Come si potrebbe spiegare che egli abbia semplicemente tralasciato gli ultimi tre paragrafi, se questi aggiungono ancora qualcosa di essenziale? Già dal fatto che nel 1827 egli ha pensato di poter concludere il testo anche senza di essi, deriva che essi non possono offrire nulla di radicalmente nuovo, ma solo una spiegazione ulteriore in rapporto a quanto è stato già raggiunto[8].

Che i paragrafi A. 475-477 e C. 575-577 siano effettivamente già contenuti in BC. 574 risulta dalla seguente ricapitolazione della spiegazione offerta a questo punto. « Il lo-

[8] Cfr. GERAETS (1985), p. 74: « I tre sillogismi che seguono nella terza edizione rendono esplicita quest'ultima elevazione », e p. 77: « i tre paragrafi successivi esprimono la realizzazione di questo concetto, l'effettuazione stessa di questa elevazione ». Non vedo una distinzione tra « il logico-risultato, che è puro principio ed elemento *dello spirituale* », che compare in B. 574 e « il logico-risultato-spirituale, che è puro principio ed elemento *del logico-cominciamento* » in C. 574 (p. 74). Certo C. 574 insiste con maggior forza sull'unità del concetto dello spirito e della sua manifestazione nel ritorno al principio puro, ma quest'ultima è tuttavia espressa anche nella prima frase di B. 574. Infatti anche la citazione da Aristotele, *Metaph.* XI, 7, che segue direttamente in B. 574, deve essere letta — allo stesso modo di C. 574 — come un'evocazione dell'universale *dimostrato*, che *si* muove eternamente *in* tutte le cose, uomini, culture ed avvenimenti spazio-temporali e che è attivo e conosce.

gico », che non poteva ancora legittimarsi come vero o convalidarsi nel cominciamento e nello svolgimento della sua realizzazione o concretizzazione, ma si fondava su presupposti indimostrati riguardo all'essere e al pensare, ha tolto questi presupposti, in quanto — come il Dio della metafisica classica — è a se stesso come ciò che tutto fonda, il primo soddisfatto di se stesso e l'ultimo che tutto porta a compimento. Tutti i presupposti, sui quali esso si basa nel percorso tra inizio e fine della sua dimostrazione, sono riassumibili nella duplice manifestazione, che il logico ha nella natura e nello spirito finito, sia soggettivo sia oggettivo: il logico si è suddiviso (*ge-ur-teilt*) in questi presupposti. Alla fine del suo processo di sviluppo il logico, che all'inizio era solo un *concetto* astratto, ha tolto nella sua unità questa *partizione originaria (Urteilung)* e si è così fatto *medio*, che contiene in sé natura e spirito. Essendo totalmente concreto, il logico è l'ultimo *sillogismo* onniabbracciante e assoluto, la cui struttura ha la tri-unità del concetto vero o concreto. La sua *universalità*, che inizialmente era solo astratta, si è *particolarizzata* nella natura e nello spirito finito, si è *singolarizzata* nello spirito infinito, che in verità si sa come spirito onniabbracciante e compiutamente determinato. La conclusione dell'*Enciclopedia* può dunque consistere solo nel fatto che viene indicato come il logico pienamente concreto (o lo spirituale *infinito*), la natura e lo spirito *finito*, intesi come i tre momenti più originari dell'universo di pensare ed essere, costituiscono il concetto uno e trino in quanto — sul fondamento della ragione, cioè del λόγος o del « logico » — essi sono reciprocamente inclusi in una pericoresi, che è ancora più intima di quella di padre, figlio e spirito, rappresentata nella religione. In quanto è il concetto compiuto, questa conclusione costituisce il sillogismo che contiene tutti i sillogismi. Come spirito, che contiene i suoi tre momenti nella contemporaneità di un *nunc stans* eterno, è il segreto immanente e definitivo di natura, umanità e storia.

Per intendere correttamente ciò che è stato raggiunto in A. 474 e BC. 574, si deve comprendere la contemporaneità dei momenti dell'ultimo concetto, cioè dell'eterno automovimento dello spirito libero (cfr. § 577: « *movens se ipsum* »), che si è alienato nella natura e nello spirito finito e che resta tuttavia in sé. Finché esso, in quanto elemento logico che non coincide ancora completamente con natura e spirito, andava verso la conclusione, il concetto dello spirito assoluto si rivelava nella forma della cerchia finita dell'essere e del pensare; là il concetto era « solo *in sé* »; l'« apparenza che aveva in esso » era un tessuto di relazioni mediante cui i tre estremi (1. « Dio » o « il logico », 2. la natura, 3. lo spirito finito — soggettivo, oggettivo, estetico e religioso) erano tenuti l'uno fuori dall'altro. Ora, agli occhi del vero pensare, questa manifestazione è tolta nell'unico, eterno concetto, in sé *e per sé* essente, dell'assoluto. Quest'ultimo viene esposto nei paragrafi successivi: il logico è il fondamento di tutto il reale (§ 575); è identico allo spirito, poiché entrambi sono reciprocamente tanto soggetto quanto predicato (§ 575); la stessa cosa vale in rapporto all'identità della natura e del logico (§§ 575-576); l'identità del momento logico con il logico concreto è però mediata non solo dalla doppia uguaglianza L=N=L' e L=S=L', ma anche dall'identità di N e S (§§ 575-577): L=L' perché L=N, L=S e N=S, ovvero L= (N, S)=L'. Ciò che inizialmente e nel corso dello sviluppo sembrava costituire un'opposizione tra l'unità del logico e la duplicità di natura e spirito, è la semplice manifestazione nella forma di figure finitamente temporali del movimento che resta eternamente presso di sé della ragione assoluta (§ 577).

È di importanza decisiva considerare il logico (il « Dio ») come un movimento eterno, cioè sovratemporale, poiché inteso come avente inizio o fine nel tempo, esso non potrebbe realmente comprendere in sé le sue « manifestazioni », la natura e l'umanità con la sua storia e la sua cultura. Sebbene il

« puro principio », in cui il logico « si è sollevato come nel suo elemento », non si manifesti al di fuori delle figure spazio-temporali di natura e storia, queste costituiscono solo la manifestazione della sua vita eterna. Per quanto concerne questa vita, non dobbiamo dimenticare ciò che Hegel dice a proposito dell'idea assoluta nell'aggiunta al § 237 citata sopra: in quanto scopo e fine, essa non è un termine ultimo temporale, ma « l'intero movimento », « l'intero *decursus vitae* », « l'intero sviluppo », che essa ha nelle sue manifestazioni. Queste sono *come* l'esteriorizzazione, che essa « fa uscire liberamente da sé » riprendendole liberamente (cioè rimanendo anche sempre presso di sé) nella sua eternità.

3. IL MANIFESTARSI DEL SAPERE ASSOLUTO ED IL SUO ETERNO AUTOMOVIMENTO (§§ 575 - 577)

L'identità dell'idea logico-astratta con il sapere concreto dello spirito assoluto (A. 474, C. 574) libera la scienza dai suoi presupposti indimostrati e da tutta l'immediatezza non mediata. È il sapere infinito, che comincia da sé ed attinge da se stesso tutta la verità. Il modo in cui questo sapere si è manifestato negli stadi precedenti della sua evoluzione, nel suo inizio e durante la riflessione ponente e presupponente del pensiero, riceve ora, alla luce dello spirito infinito, che è ritornato a se stesso, un significato diverso. Nell'orizzonte del sapere assoluto la logica, la filosofia della natura e la filosofia dello spirito finito appaiono come le diverse maniere, in cui il logico (l'idea concreta), divenuto identico allo spirituale, si è rivelato in quanto tale (cfr. §§ 382-384). « Questo manifestarsi è ciò che fonda dapprima lo sviluppo ulteriore » (§ 575).

Questa prima proposizione della conclusione dell'*Enciclopedia* ci fornisce la chiave per la sua interpretazione. Il compimento raggiunto nei §§ 572-574, che non ha consen-

150

tito scoperte ulteriori, ma « soltanto » ancora un « guardare indietro » (§ 573), rende tuttavia possibile uno « sviluppo ulteriore », il cui programma non viene portato a compimento, ma « dapprima » semplicemente abbozzato. Questo compimento consiste nel fatto che il movimento già compiuto e la totalità raggiunta della filosofia si espongono per mezzo di un ricordare *metafilosofico* di tutti i possibili lati (cioè di tre lati) *come la manifestazione dell'assoluto che si sa*[9].

In un'aggiunta (§ 187 agg.), che in via eccezionale può essere qui citata, la manifestazione del sapere assoluto viene descritta come un'esposizione della sua razionalità mediante la forma del sillogismo, a proposito della quale nell'annotazione a questo paragrafo, Hegel afferma che essa in questo contesto *non* costituisce una forma adeguata: « Il senso oggettivo delle figure del sillogismo in generale è che ogni elemento razionale si mostra come un triplice sillogismo e precisamente in forma tale che ogni suo membro occupa sia il posto di un estremo sia quello del medio che è mediatore. Questo è precisamente il caso delle tre parti della scienza filosofica, cioè dell'idea logica, della natura e dello spirito. La natura, questa totalità immediata, si dispiega nei due estremi dell'idea logica e dello spirito. Lo spirito però, essendo mediato dalla natura, è soltanto spirito [L-N-S]. In secondo luogo poi lo spirito, che noi sappiamo in quanto individuale e operante, è altrettanto il medio, e la natura e l'idea logica sono gli estremi. Lo spirito è ciò che riconosce l'idea logica nella natura e la eleva così alla sua essenza [N-S-L]. Altrettanto, in terzo luogo, l'idea logica stessa è il medio: è la sostanza assoluta dello spirito come della natura, l'universale, l'onnipervadente [S-L-N]. Questi sono i

---

[9] Concordo con Geraets (1975 e 1985) sul fatto che nei §§ 575-577 si tratta di « les trois lectures philosophiques de l'Encyclopédie ou la réalisation du concept de la philosophie chez Hegel » (cfr. Geraets, 1975, p. 236).

membri del sillogismo assoluto »[10]. Secondo questa aggiunta il sillogismo « assoluto » è tri-unità di tre sillogismi, che si superano reciprocamente e insieme formano un circolo di circoli:

1) L - N - S
2)   N - S - L
3)   S - L - N

(1) Il momento logico (l'idea astratta o l'« idea logica »), con cui si *comincia*, è, in quanto idea realizzata, (2) la *fine* e il risultato dell'intero sviluppo ed è con ciò anche (3) il *medio* che toglie in sé tutte le parti dello sviluppo. Il suo dispiegarsi in tre sillogismi mostra parimenti la sua posizione, che tutto domina, e la logicità o razionalità di tutto ciò che esiste. Ma i tre sillogismi mostrano anche che la natura e lo spirito sono altrettanto rispettivamente *inizio*, *fine* e *medio* dell'idea suprema. Hegel ha quindi realizzato l'ideale, a cui ha cercato di « avvicinarsi » fin dalla gioventù: egli ha portato al concetto il Dio uno e trino della fede cristiana, in cui l'universale (il padre), il particolare (il figlio) e il singolare che unifica entrambi (lo spirito) contengono rispettivamente in sé gli altri due momenti.

I tre paragrafi, con cui la prima e la terza stesura dell'*Enciclopedia* portano a termine le loro argomentazioni, non

---

[10] GERAETS (1975, p. 235) ha ragione contro BOURGEOIS (1970, p. 604), il quale critica il fatto che l'aggiunta nell'ultimo sillogismo rende il medio non « l'idea della filosofia » (§ 577), ma « l'idea logica ». Anche nel § 577 il medio è il logico, l'idea in cui culmina la logica, o l'idea logica (concretizzata), *che adesso però si sa come tale*. « L'idea della filosofia » (cioè il concetto della filosofia realizzato ed autoconoscentesi) è l'*intero* del sillogismo conclusivo, cioè l'eterna autoconoscenza « di Dio », nel modo in cui essa si realizza e si conosce mediante e nell'autoconoscenza dell'universo « creato » — un'autoconoscenza finita, che si realizza in quanto gli uomini singoli e l'umanità nella loro storia si dedicano alla filosofia.

mostrano niente di diverso da ciò che è detto nell'aggiunta al § 187. Contengono un programma per una nuova lettura e per l'appropriazione del testo con ciò concluso. La verità, che si possiede in un eterno presente, può manifestarsi al nostro conoscere finito, al nostro scrivere e parlare, solo come una successione di serie discorsive. L'eternità del vero λόγος viene dunque necessariamente resa temporale. Ma se i momenti del nostro discorso sono reciprocamente concatenati in modo tale che *ciascun* momento include necessariamente tutti gli altri momenti e l'intero, questo discorso si espone allora in un sapere che si muove in circolo, in cui la verità eterna rivela e riconosce se stessa, sia pure in modo finito.

Prima di interpretare singolarmente i tre sillogismi, con cui Hegel conclude l'*Enciclopedia*, ci dobbiamo chiedere quale significato può e deve avere la categoria del sillogismo alla fine di questa esposizione del suo sistema filosofico (§§ 14-16).

Hegel stesso si è espresso sul senso dei sillogismi nei paragrafi 181 sgg., mediante i quali egli passa dalla dottrina del concetto *soggettivo* alla dottrina dell'oggetto (o — cfr. § 236 — dell'idea oggettiva) [11]. Già la posizione del sillogismo nella *prima* parte dell'ultimo momento della logica significa che la categoria del sillogismo non può essere quella suprema ed onniabbracciante, non fosse altro che per il fatto che è una categoria del concetto *soggettivo* e — cfr. § 236 — dell'idea *soggettiva*.

Il primo paragrafo sul sillogismo (§ 181) definisce il suo nocciolo come « l'unità del concetto [astratto ed immediato] e del giudizio ». « È il concetto [più concreto] come l'iden-

---

[11] Cfr. per l'interpretazione della dottrina hegeliana del sillogismo K. Düsing, *Das Problem der Subjektivität in Hegels Logik*, « Hegel-Studien », Beiheft 15, Bonn 1976[1], 1984[2], pp. 266-288 e K. Düsing, *Syllogistik und Dialektik in Hegels spekulativer Logik*, in D. Henrich (a cura di), *Hegels Wissenschaft der Logik*, Stuttgart 1986, pp. 15-38.

tità semplice, in cui sono ritornate le distinzioni della forma del giudizio, ed il giudizio in quanto è posto nello stesso tempo nella realtà, cioè nella distinzione ». Questo, e cioè il concretarsi del concetto, inteso come l'universale che si singolarizza per mezzo della sua partizione originaria (*Urteilung*) in particolarità, è la verità speculativa del sillogismo. Il nocciolo, l'essenza, il concetto vero del sillogismo coincide con l'essenza della ragione e con tutto (anche con l'oggettivo) ciò che è razionale: « Il sillogismo è il *razionale* e *tutto* il razionale ». Come struttura essenziale non solo di ogni pensiero, ma in generale di tutta la realtà, il sillogismo (cioè il concetto concreto) è una categoria che vale per ogni cosa. In questo senso si deve dire: « Tutto è un sillogismo », poiché tutto è concetto (§ 181 ann.). Il sillogismo non aggiunge niente di radicalmente nuovo alla struttura del concetto; solo rende espliciti i suoi momenti costitutivi. *Il sillogismo « non è altro che il concetto reale* [...] *posto »* (§ 181 ann., corsivo mio). L'universale, il particolare ed il singolare sono posti reciprocamente nel sillogismo in una relazione determinata, ma la verità del loro rapporto consiste proprio nel fatto che ciascuno di questi momenti racchiude in sé gli altri due e l'intero del loro reciproco appartenersi: le diverse figure che Aristotele ha presentato nell'esposizione del sillogismo, hanno il « senso molto profondo [...], per cui *ciascun momento*, in quanto determinazione del concetto, diventa esso stesso *l'intero* e il *fondamento mediatore* » (§ 187 ann.). Se si tiene presente questo, il sillogismo non rappresenta nient'altro che il processo circolare della mediazione dei momenti della realtà, mediante cui questa si pone come uno (§ 181 ann.). Se il sillogismo viene inteso così, è « il *fondamento essenziale di ogni vero; e la definizione dell'assoluto* è ormai che esso è il sillogismo » (181 ann.). Questa concezione intende però il termine « sillogismo » non più come un sillogizzare semplicemente soggettivo, ma come un predicato che, almeno implicitamente, anticipa la conclusione dell'intera logica. Così inteso

154

« il sillogismo » è sinonimo dell'idea assoluta, che comprende in sé tanto il metodo del pensiero razionale (§§ 163-193, §§ 237 sgg.), quanto la razionalità dell'intera realtà oggettiva (§§ 194-235, § 244).

Da questo « senso molto profondo » del sillogismo si deve tener nettamente distinta la comprensione « comune », che scorge in esso solo la semplice forma del razionale (§ 181 ann.). In quest'ultimo caso si tratta di un processo di pensiero puramente soggettivo, che deduce una proposizione da altre proposizioni sulla scorta di precise regole formali. Questa comprensione corrente non ha alcun senso per l'unità interna dei momenti, che vengono reciprocamente collegati nel sillogismo. È caratteristica del pensare scindente dell'intelletto. Nel sillogizzare « formale » dei comuni sillogismi dell'intelletto la realtà non si manifesta come qualcosa di razionale, perché il pensiero è in essi troppo esteriore e soggettivo: « Infatti il *sillogizzare formale* è il razionale in un modo così privo di ragione, da non avere niente a che fare con un contenuto razionale » (§ 181 ann.). « Il sillogismo formale dell'intelletto » è « il razionale, in quanto privo di concetto » (§ 182). « Il sillogismo razionale consiste invece nel fatto che il soggetto [ovvero il concetto] *si* congiunge attraverso la mediazione *con se stesso*. Così è solo soggetto [o concetto concreto], ovvero il soggetto [il concetto concreto] è solo in se stesso il sillogismo della ragione » (§ 182).

Nella trattazione hegeliana dei sillogismi (§§ 182-193) importa ora mostrare che e come i sillogismi dell'intelletto e le figure tradizionali del sillogismo sono forme semplicemente insufficienti dell'assoluto, il quale infatti è un sillogismo in un altro senso, più elevato e più razionale, non certo nel senso corrente di questo termine: « Nella considerazione seguente il sillogismo dell'intelletto viene espresso, secondo il suo significato abituale e corrente, nel modo soggettivo che gli conviene nel senso che *noi* facciamo tali sillogismi » (§ 182 ann.). Tutte le figure del sillogismo sono manchevoli (cfr. §§ 184, 186, 190 ann.) ed il sillogismo non è un'espressione adeguata dell'assoluto. Anche il sillogismo della necessità, il pensiero più elevato di un pensare solo soggettivo o 'formale' (§§ 191-193), si deve togliere nell'oggettiva « realizzazione del concetto » (§ 193), che viene raggiunta solo nell'idea assoluta, in quanto « *unità assoluta del concetto e dell'oggettività* » (§ 213). Le annotazioni ai §§ 180, 181, 187 e 190 insistono sul fatto che la categoria del sillogismo *non* è adatta per una determinazione adeguata dell'assoluto, se non la si interpreta nel senso del concetto realizzato, soggettivo e oggettivo, cioè nel senso dell'idea assoluta. Il sillogismo dell'intelletto può esprimere nelle sue diverse figure « solo la finitezza delle cose » (§ 182 ann.). La forma del sillogismo (ad esempio della « dimostrazione dell'esistenza di Dio ») non è idonea a pensare l'*ens perfectissimum* (§ 193 ann.). Solo il concetto speculativo del concetto, che lascia uscire liberamente da sé tutti i suoi momenti e passando attraverso di essi ritorna in se stesso, solo « il processo circolare della mediazione dei suoi momenti », mediante cui il concetto si pone come uno, può « racchiudere » in sé l'intera verità della realtà (§ 182). Solo così si ottiene un'idea dell'assoluto in quanto idea dell'universale concreto nel senso della vera *logica*: « L'universale è [la] potenza *libera*; è se stesso e ingloba il suo altro; ma non come un qualcosa di *violento*, piuttosto come ciò che è quieto nel medesimo e *presso se stesso*. Come fu chiamato la libera potenza così potrebbe essere definito anche il *libero amore* e la *sconfinata beatitudine*, poiché è un essere in relazione di sé con il *distinto* solo come con *se stesso*, nel distinto è ritornato a se stesso » (*G.W.* 12, p. 35).

Si potrebbe dire anche di Hegel, ciò che egli stesso ha scritto su Aristotele: « Nei suoi [...] *concetti* [...] era così lontano dal voler erigere a fondamento e criterio la forma del sillogismo dell'intelletto, che si potrebbe dire che nemmeno uno di questi concetti sarebbe potuto sorgere o essere ammesso, se avesse dovuto essere sottoposto alle leggi dell'intelletto. Nel molto di descrittivo e di intellettualistico, che Aristotele secondo il suo modo essenzialmente produce, l'elemento in lui sempre dominante è il concetto *speculativo* e a quel sillogizzare intellettuale, che ha presentato per primo in maniera così determinata, egli non consente di penetrare in questa sfera » (§ 187 ann.).

Il significato della natura speculativa del sillogismo si ricava anche dalla seguente citazione, che anticipa contemporaneamente la conclusione dell'*Enciclopedia*, che dobbiamo ancora interpretare. Nelle sue lezioni su Platone (*G.W.* 14, pp. 252-253) Hegel afferma: « Il sillogismo è lo speculativo che negli estremi si congiunge con se stesso, in quanto tutti i termini passano attraverso tutte le posizioni. Nel sillogismo è contenuta l'intera razionalità, l'idea per lo meno in maniera esteriore [...]. Il medio eleva gli estremi all'uso supremo; essi non rimangono indipendenti né nei propri confronti né nei confronti del medio. Il medio diviene i due estremi e questi divengono il medio; ne deriva allora che tutti secondo la necessità sono la stessa cosa, e così l'unità è costituita [...]. La cosa principale è l'identità, ovvero il fatto che il soggetto si congiunge nel medio con se stesso, non con un altro. Nel sillogismo della ragione è così rappresentato un soggetto, un contenuto che si congiunge con se stesso mediante l'altro e nell'altro; e questo perché gli estremi sono divenuti identici, — l'uno si congiunge all'altro, in quanto però è identico ad esso. Questa è in altre parole, la natura di Dio. Dio si fa soggetto: e questo per il fatto che genera suo figlio, il mondo; in questa realtà, che si manifesta come qualcosa d'altro, si realizza, — ma rimane in essa identico a sé, annulla la caduta e si congiunge nell'altro solo con se stesso; solo così è spirito. Se si solleva l'immediato al di sopra del mediato e si dice allora che l'azione di Dio è immediata, questo ha un buon fondamento; ma il concreto è il fatto che Dio è un sillogismo conclusivo o una conclusione sillogistica, che si congiunge con se stessa. Il supremo è così contenuto nella filosofia platonica ».

Da questa ricapitolazione della teoria hegeliana del sillogismo deriva con sicurezza che per Hegel non era importante comprimere alla fine della sua *Enciclopedia* il risultato nelle figure del sillogismo. Tuttavia egli deve mostrare che il risultato raggiunto nel § 574 è il concretarsi autentico e compiuto del concetto originario, che, in quanto idea assoluta, è scopo, vita, conoscere e volere e anche sillogismo razionale, nel senso che il concetto raggiunto alla fine del sistema riconosce se stesso come « processo circolare » (§ 181 ann.), nel quale ciascun momento racchiude in sé tutti gli altri momenti *e* l'intero, in modo tale che l'unità di ciò che è distinto espone un'unica totalità ritornata in sé. Una dimostrazione di questo genere può servirsi delle figure classiche del sillogismo, sebbene queste siano in sé un mezzo insufficiente. Ad ogni modo bisogna spiegare che e come lo spirito assoluto comprende tutta la realtà e tutto il pensiero, racchiudendo in sé tanto l'universale, il particolare ed il singolare, quanto la loro unità. Forse il concentrarsi sul problema di come i sillogismi degli ultimi tre paragrafi siano sussumibili sotto le diverse figure dei sillogismi formali, non è del tutto conforme all'intenzione di Hegel. Non possiamo supporre che egli stesso avrebbe risposto alla domanda, se essa fosse stata per lui importante?

§ *575:*

Rivolgiamo ora la nostra attenzione « alla prima manifestazione » dell'assoluta autoconoscenza dell'assoluto. Il primo modo in cui si manifesta il logico che si è sviluppato fino allo spirituale (§ 574), ovvero l'idea concreta (§ 575), è quello che l'*Enciclopedia* espone se la si legge semplicemente dall'A alla Z. Comincia con l'astrattamente logico, si sviluppa fino al concetto (ancora astratto e « solo pensato ») dell'idea assoluta e mostra che l'idea deve negare se stessa, alienandosi nella natura [12]. Essa mostra però anche che la natura è solo una fase di transizione: l'autonegazione dell'idea nella natura si nega (la natura « muore », cfr. §§ 375-376) per realizzare l'idea come spirito.

Ciò che nell'ambito della religione rivelata è stato esposto come un giudizio — la creazione del cielo e della terra (§ 568) — si mostra allo spirito pensante come un sillogismo. Il fatto che la logica deve passare nella filosofia della natura e questa nella filosofia dello spirito, viene concepito come una necessità. Anche qui non c'è più separazione alcuna tra il logico (« Dio »), la natura e lo spirito (finito) o tra questi tre momenti e l'intero che essi costituiscono. La scissione descritta nei §§ 567-568 tra « Dio in sé » ed il suo « agire verso l'esterno » è dunque tolta. La (idea della) trinità e la sua manifestazione nella natura e nella storia formano un sillogismo, che rimane « nell'idea », così come questa si realizza nell'ambito spazio-temporale. La natura è perciò un principio dell'opposizione e del male. D'altra parte la natura sta ancora tra lo spirito e il logico presupposto, il quale è « *in sé* » (§§ 575-576) la « sua essenza ». Essa invero non provoca più alcuna scissione, come in una metafisica elaborata da un pensiero intellettualistico, in cui gli estremi Dio, uomo e natura sono l'uno di fronte all'altro come sostanze indipendenti, ma anche nella successione e nell'accostamento dell'esposizione enciclopedica, la filosofia della natura nasconde ancora l'unità interna dei tre momenti concettuali dell'assoluto, in quanto esplicita troppo poco la loro immanenza *reciproca* ed il loro eterno essere l'uno nell'altro.

È vero che la natura, in quanto passaggio dal logico allo spirituale, è *in sé* identica all'idea ed è perciò il libero essere

---

[12] Cfr. la chiara esposizione di D. WANDSCHNEIDER e V. HÖSLE, *Die Entäußerung der Idee zur Natur und ihre zeitliche Entfaltung als Geist bei Hegel*, in « Hegel-Studien » 18 (1983), pp. 173-199.

presso di sé dell'idea stessa nella sua alienazione (§ 18), ma essa appare ancora come l'*altro* dell'idea («l'idea nel suo esser altro») e come il momento non spirituale, materiale, che si può elevare allo spirito solo morendo in quanto tale.

Nella filosofia della natura, così com'è descritta nell'*Enciclopedia*, la natura non è ancora uno specchio dell'eternità, ma — in quanto esser altro ed esser fuori di sé del logico — è solo la negazione necessaria, di cui esso ha bisogno per elevarsi allo spirito mediante la negazione di questa negazione: è un semplice «punto di passaggio», che media nello spirito l'idea («l'elemento logico»), in quanto «fondamento» ed «essenza» dello spirito, con le sue rivelazioni. L'identità dell'idea astratta e dell'idea concreta, che costituisce il concetto della vera scienza, deve la sua esistenza alla dimensione dell'esteriorità naturale. In questa prima lettura dell'*Enciclopedia* però, la verità nascosta della natura, l'immanenza del «Dio» che si conosce, non è ancora esplicitata in modo adeguato. Proprio perché in questa maniera di manifestarsi dell'assoluto la natura occupa il posto centrale, questo modo (e la forma del sillogismo presente qui) non è ancora la più perfetta. C'è ancora una certa esteriorità, da cui la verità eterna viene oscurata. La logica del pensare discorsivo che si sviluppa nell'*Enciclopedia* così come essa si presenta, è la logica dell'essere (cfr. A. 475: «scienza [...] di un essere») o della necessità. Il pensiero passa da un momento al successivo in modo coerente, ma solo alla fine dell'intero cammino, nella compiuta filosofia dello spirito, diviene possibile comprendere i momenti come autodispiegamento dell'unico spirito libero. Soltanto alla fine e a partire dalla fine diventa palese il fatto che tutti i concetti della logica e della filosofia reale sono «predicati», che l'assoluto libero — cioè che rimane presso se stesso — dà a se medesimo. L'esposizione condotta sullo schema L-N-S deve dunque essere completata da un'esposizione, in cui l'autoconoscenza libera (o «la libertà del concetto») dell'assoluto compare in *tutti* i momenti dell'esistente e del pensiero. Il primo modo di manifestarsi dell'assoluto compiuto nell'*Enciclopedia* è ancora insufficiente. Per rimediare a questa insufficienza è necessaria una esplicitazione ulteriore, che mostri in tutte le sue manifestazioni l'esser presso di *sé* e la libertà dello spirito.

§ 576:

Il paragrafo successivo (A. 476, C. 576) afferma in modo inequivocabile che il sapere infinito dell'assoluto libero si manifesta anche in un secondo modo, e precisamente in un « secondo sillogismo », che toglie in sé il primo. In questo sillogismo, ovvero con questa lettura, ci troviamo al « punto di vista dello spirito », in quanto esso dalla prospettiva dell'indagine scientifica guarda indietro alla natura, dalla quale è risultato. L'identità mediata attraverso la natura del logico e dello spirito (§§ 573, 575) viene conservata, ma la natura non si manifesta più come semplice negazione, bensì come presente spazio-temporale dell'idea per il nostro conoscere [13]. La scienza riconosce ora espressamente e rende esplicito che quanto asserito nel § 575 sulla natura è giusto: essa è « in sé l'idea ». Questa verità diviene ora per lo spirito. Nonostante l'inadeguatezza delle figure dell'idea, che le impedisce di essere uno specchio perfetto dell'assoluto, essa riflette tuttavia la *veritas ipsa* del logos divino (del « figlio »). Questa rivelazione di Dio nella natura è possibile solo quando è raggiunto il punto di vista del pensiero scientifico, cioè filosofico. Noi presupponiamo la natura, in quanto la percepiamo e la osserviamo come un alcunché di dato. Il pensare che si sviluppa da questo presupposto è un riflettere sui fatti della

---

[13] Cfr. l'appunto di Hegel ad A. 476: « Conoscere sog[gettivo] che però ha come contenuto l'idea in sé e per sé essente » (« Hegel-Studien » 9, 1974, p. 37). Cfr. per quanto segue anche V. HÖSLE (1984), pp. 71-73.

natura. Esso rivela i fenomeni naturali come concretizzazioni delle strutture logiche, da cui ciascun pensiero è dominato, e dunque « congiunge la natura con il logico ». « È lo spirito che riconosce l'idea logica nella natura e così la eleva alla sua essenza » (§ 187 agg.). Mentre la prospettiva indicata nel § 575 non va più in là di una veduta, in cui la natura funge da presupposto e preparazione per la scoperta dello spirito, la riflessione che viene analizzata nel § 576 scopre che essa è in se stessa una rivelazione dell'assoluto, « il figlio di Dio ».

« Dio ha rivelazioni di due specie, in quanto natura e in quanto spirito: entrambe le configurazioni di Dio sono suo tempio: egli le riempie ed è presente in esse. Dio, inteso come un qualcosa di astratto, non è il vero Dio, ma lo è solo come processo vivente di porre il suo altro, il mondo, cosa che, espressa in forma divina, è suo figlio; e solo nell'unità con il suo altro, nello spirito, Dio è soggetto. Questa è ora la determinazione e lo scopo della filosofia della natura: lo spirito trova in essa la sua essenza peculiare, cioè trova il concetto nella natura, il suo corrispettivo. Così lo studio della natura è la sua liberazione in essa; lo spirito diviene, in quanto non si rapporta ad un altro, ma a se stesso. Questo è altrettanto la liberazione della natura; essa è in sé la ragione, ma solo mediante lo spirito questa viene ad esistere come tale in essa. Lo spirito ha la certezza che Adamo ebbe quando scorse Eva: " questa è carne della mia carne; queste sono ossa delle mie ossa ". La natura è così la sposa, con cui lo spirito si unisce in matrimonio. Ma questa certezza è anche verità? Non essendo l'interno della natura nient'altro che l'universale [il logico, l'idea vera e divina dell'universo, la quale solamente è il reale], quando abbiamo pensieri, noi siamo, in questo interno della natura, presso noi stessi [...]. Solo così Dio è la verità, l'immortale vivente — secondo Platone — il cui corpo e la cui anima sono naturati in uno » (§ 246 agg.).

Se il « conoscere soggettivo » della filosofia della natura concepisce il suo oggetto non come semplice esteriorità e « caduta dell'idea da se stessa » (§ 248 ann.), ma come presenza reale di Dio, essa è la forma più elevata, cioè scientifica, della conoscenza religiosa in senso lato, in quanto questa si rapporta alla natura. Il « conoscere soggettivo » è allora un modo ed una manifestazione dello spirito assoluto stesso (di « Dio »), nella misura in cui esso si intuisce e si comprende mediante lo studio dell'uomo di scienza, e in lui. Il momento soggettivo di questo conoscere consiste nel fatto che « sono singoli individui quelli che filosofano » e che la verità della natura non consiste nella forma dell'eterno νόησις νοήσεως di « padre e figlio », ma in una « successione del contenuto filosofico » [14].

La natura oggettiva è stata analizzata e compresa nella sua struttura nella seconda parte dell'*Enciclopedia*; ora, all'interno della trattazione della scienza, essa non è più la natura, ma la scienza (o filosofia) della natura, che è oggetto del pensiero. Come tale la filosofia della natura è una parte del sapere più elevato, in cui la conoscenza suprema della religione vera viene portata al concetto: nel e al creato noi riconosciamo l'essenza di Dio: la natura è specchio ed espressione del *logos* eterno. Essa non si manifesta più come « *non-ens* » o come « *necessità* ed *accidentalità* », ma come la « sapienza di Dio » degna di ammirazione (§ 248 e ann.).

« L'idea divina è proprio questo: decidersi a porre fuori di sé quest'altro [la natura] e riprenderlo nuovamente in sé per essere soggettività e spirito. La filosofia della natura appartiene essa stessa a questo cammino del ritorno, poiché

[14] Cfr. « Hegel-Studien » 9 (1974), p. 36: « Conoscere sog[gettivo]. Sono individui singoli quelli che si dedicano alla filosofia. La successione del contenuto filos[ofico] appartiene a questa manifestazione ».

essa è quella che toglie la scissione della natura e dello spirito e procura allo spirito la conoscenza della sua essenza [dell'idea, del logico] nella natura. Questa è ora la posizione della natura nell'intero; la sua determinatezza consiste nel fatto che l'idea determina se stessa, cioè pone in sé la distinzione, un altro, ma in maniera tale che nella sua divisibilità è bene infinito e conferisce all'esser altro la sua intera pienezza e gliel'accorda. Dio resta dunque uguale a sé nel determinare; ciascuno di questi momenti è esso stesso l'intera idea e dev'essere posto come la totalità divina. L'elemento distinto può essere compreso in tre specie di forme: l'universale, il particolare e il singolare. Una volta il distinto viene mantenuto nell'unità eterna dell'idea: è il λόγος, l'eterno figlio di Dio, come comprese Filone. In questo estremo l'altro è la singolarità, la forma dello spirito finito [...]. La [...] forma che qui ci interessa, l'idea nella particolarità, è la natura che sta tra i due estremi [tra il λόγος ed il « conoscere soggettivo » dello spirito singolo] [...]. Lo spirito è posto come la contraddizione esistente per sé, poiché l'idea infinitamente libera [l'un estremo] ed essa nella forma della singolarità [l'altro estremo] sono nella contraddizione oggettiva; la contraddizione è nella natura solo in sé o per noi, in quanto l'esser altro si manifesta nell'idea come forma quieta. In Cristo la contraddizione [tra il λόγος ed il singolo uomo] è posta e tolta in quanto vita, passione e resurrezione; la natura è il figlio di Dio, ma non come il figlio, bensì come il rimanere nell'esser altro, — l'idea divina in quanto tenuta ferma per un momento al di fuori dell'amore. La natura è lo spirito a sé estraniato, che in essa è solo *sfrenato*, un Dio bacchico, che non contiene e non frena se stesso; nella natura si nasconde l'unità del concetto. *La considerazione pensante della natura deve considerare come la natura sia in se stessa questo processo del divenire spirito, del togliere il suo esser altro,* — e come in ciascuno stadio della natura stessa sia presente l'idea... » (§ 247 agg., corsivo mio).

164

Al conoscere scientifico, a cui il § 576 accenna come momento della scienza assoluta, la natura non appare più come passaggio in una lineare successione di ambiti; essa si svela gradualmente come l'incarnazione «del logico», ovvero «di Dio». Al posto della logica dell'essere qui domina la logica della riflessione: la relazione tra la natura e il logico appare come il rapporto tra un fenomeno o una rivelazione e la sua essenza o il suo fondamento. Anche in questa conoscenza però c'è ancora un'opposizione tra lo spirito e la natura: la conoscenza di soggetti singoli sta contro l'espressione oggettiva dell'idea divina, senza potersi identificare con essa. La natura ed il logos non sono ancora la stessa cosa, come nel § 577. Certo lo spirito *non* è più qui ciò che era in quanto spirito soggettivo — poiché come tale (§§ 377-482) era solo la possibilità della sua realizzazione, non ancora la realtà che vuole e conosce, quella in cui si è realizzato nella politica e nella scienza —, ma il suo sapere è ancora unilaterale, in quanto ancora non pensa esplicitamente l'identità della sua soggettività (nella configurazione della riflessione e della natura (come realtà oggettiva dell'idea). La natura e il logico, intesi come manifestazione ed essenza, costituiscono, insieme allo spirito che li media reciprocamente, un sillogismo, che viene contrassegnato dalla riflessione e dunque ancora sempre da una certa esteriorità.

Questa esteriorità si mostra già là dove lo spirito scientifico ammira, osserva e spiega la natura da una certa distanza, mentre cerca di scoprire in essa il *logos* nascosto. Come pensiero riflettente di soggetti finiti, lo spirito appare solo come un *momento* del sillogismo, non ancora come il sillogismo stesso, in cui è presente il sapere dello spirito infinito. Benché la riflessione abbia luogo *all'interno* dell'autoconoscenza dell'idea assoluta, anche questa seconda manifestazione dello spirito che si sa è contrassegnata dalla finitezza. Lo spirito non si trova ancora al termine del cammino verso il concetto vero dell'infinito nella sua unità con il finito. La conoscenza della filosofia non è ancora identica al conoscere assoluto, mediante cui « Dio » riconosce se stesso *nelle* figure della natura e dello spirito finito.

La dichiarazione hegeliana che il fine della conoscenza scientifica della natura è la libertà, ci rammenta la determinazione del concetto dello spirito all'inizio della filosofia dello spirito (§ 382: « l'essenza dello spirito è [...] la libertà ») e quanto viene asserito a proposito dello spirito assoluto all'inizio dell'ultimo capitolo (§ 553): lo spirito soggettivo e lo spirito oggettivo costituiscono insieme la via che porta il concetto dello spirito alla sua realtà, in quanto « l'intelligenza *in sé* libera [il culmine dello spirito soggettivo] nella sua realtà [nello spirito oggettivo] è stata resa libera elevandosi al suo concetto », « per essere così la *forma* degna di questo [del concetto dello spirito] ». La seconda manifestazione del sapere assoluto di cui tratta il § 576, coincide con le due prime parti della filosofia dello spirito? Evidentemente no, poiché *in primo luogo* il sillogismo, a cui si accenna nel § 576, comincia con la natura per ricondurla all'idea logica, mentre nelle due prime parti della filosofia dello spirito la natura non diviene mai tema di una trattazione teoretica; *in secondo luogo* sembra che nel § 576 lo spirito oggettivo non svolga affatto alcun ruolo; *in terzo luogo* il conoscere soggettivo viene posto a tema nella psicologia, che è il risultato dello svolgimento dello spirito soggettivo, solo secondo i suoi aspetti formali e non come riflessione scientifica; e, *in quarto luogo*, i sillogismi conclusivi dell'*Enciclopedia* non possono costituire una semplice ripetizione di alcune sue parti, ma solo una nuova lettura dell'intero che questo libro espone.

L'elaborazione del secondo sillogismo richiede un nuovo esame delle relazioni tra l'idea, la natura e lo spirito, relazioni che sono sviluppate nell'*Enciclopedia*. L'« elevazione » della natura « alla sua essenza » grazie ai filosofi, che in essa « riconoscono l'idea logica » (cfr. § 187 agg.), è la scienza umana della natura, in quanto questa, *come disvelamento del* λόγος, divenuto identico allo spirito assoluto (§ 574), manifesta l'assoluto stesso. Alla fine del movimento del pensiero la scienza ha preso il posto della religione. Essa è la devozione ed il culto (§ 555), mediante cui il vero Dio vuole essere venerato. L'attività scientifica ed il contenuto scoperto in essa (l'intero della filosofia dunque) vengono esposti al § 576 come il cammino che gli uomini debbono percorrere per realizzare la loro libertà. La loro partecipazione al sapere assoluto è la risposta definitiva al problema, che resta ancora aperto alla fine della psicologia. Non è sufficiente prender parte alla libertà oggettiva del mondo etico; essa dev'essere tolta nel possesso teoretico della verità di tutto l'oggettivo.

In questo senso il programma formulato nel § 576 traccia una via che, passando attraverso la filosofia della natura, progredisce nella partecipazione alla libertà più elevata del conoscere, mediante cui l'assoluto comprende il *logos* (la razionalità o ragione, così come essa si dispiega nella logica) come il segreto dell'intera realtà e di se stessa. In questo senso nell'ultima aggiunta alla filosofia della natura (§ 376 agg.) Hegel dice: « Lo spirito [...] stesso, provenendo *dapprima* dall'immediatezza, poi però comprendendosi astrattamente, vuole rendere se stesso libero, producendo la natura a partire da sé; questo agire dello spirito è la filosofia ». Ed inoltre: « Lo scopo di queste lezioni [sulla filosofia della natura] è fornire un'immagine della natura per domare questo Proteo, per trovare in questa esteriorità solo lo specchio di noi stessi, per vedere nella natura un riflesso libero dello spirito, — per riconoscere Dio [...] in questa sua esistenza immediata ».

Benché sembri che il paragrafo, che analizziamo qui, soprattutto nella sua prima stesura (A. 476) sia uno dei più comprensibili dell'intera *Enciclopedia*, e l'aggiunta al § 187 ne fornisca una parafrasi precisa, ci si imbatte subito in difficoltà, non appena ci si chiede che cosa propriamente questa seconda manifestazione del sapere assoluto, ovvero dell'asso-

167

luto che si sa, porta allo scoperto. Che lo spirito non sia solo il *risultato*, ma anche l'*inizio*, come pure il *medio* che tutto tiene unito dell'intero universo di essere e pensiero, è cosa ovvia all'interno del pensiero hegeliano. « Lo spirito è tutto » oppure « il tutto è spirito » sono espressioni che potrebbero francamente essere accettate come motto della sua filosofia. Ma come tale lo spirito non può essere un *momento* all'interno di un sillogismo, ma solo la *totalità* eterna, originaria e compiuta che si manifesta in sillogismi determinati. Se « lo spirito » viene descritto nei §§ 575-577 come un momento di sillogismi diversi, non è sinonimo dello spirito assoluto, ma è sinonimo di una figura finita dello spirito infinito che si differenzia in questi sillogismi. Come spirito finito esso è realizzato nelle forme *soggettive, oggettive* ed *incompiute* dello spirito *assoluto*: nell'arte, nella religione e nelle versioni insufficienti della filosofia, come nelle filosofie dei contemporanei di Hegel e in tutte quelle che precedono la sua. In questa conoscenza della verità della natura, il momento finito e soggettivo (umano) del sapere compiuto appartiene alla realtà della scienza assoluta, ma questo non può comprendere tale realtà, poiché essa è infinita, mentre il « conoscere soggettivo » è semplicemente una via verso la libertà della verità. Poiché lo spirito si manifesta qui come uno spirito finito e soggettivo, è contrapposto ad un oggetto, con cui non può identificarsi. Dal momento che Hegel indica ora quest'oggetto come « la natura », si pone il seguente problema: se è vero che la filosofia, che nel § 574 è stata definita come « la verità che sa » e come l'elemento logico convalidato o realizzato, si è in effetti realizzata come sapere assoluto, e se questo sapere (in quanto totalità o sillogismo di tutti i sillogismi) appare nel secondo sillogismo del § 576, come si relaziona poi, prescindendo dalla natura e dal conoscere soggettivo, con tutti gli altri temi e con tutte le altre parti dell'universo e della filosofia? Fino a che punto le figure dello spirito soggettivo ed oggettivo, come pure le rivelazioni dell'arte e della religione, appaiono nel sillogismo della riflessione abbozzato nel § 576? Essendo lo spirito limitato al « conoscere soggettivo », coincide con la realizzazione metodica delle possibilità formali, che esso ha in quanto spirito *teoretico* all'interno dello spirito *soggettivo*. Il soggetto di questa conoscenza sono i singoli pensatori, i quali — così bisogna sottintendere — sono sorretti da una comunità umana e da tradizioni determinate e sono istruiti mediante la storia del sapere filosofico e di altro genere. Se il sillogismo filosofico, al cui interno la conoscenza filosofica funge da momento soggettivo, porta a manifestazione l'assoluto stesso secondo la sua forma e il suo contenuto, il contenuto di ciascun conoscere deve contenere *tutte* le forme oggettive della realtà da pensare. Come può Hegel limitare quel contenuto alla « natura »? Alla realtà oggettiva, che è contrapposta al conoscere soggettivo, appartiene dunque anche la maggior parte dell'antropologia, della psicologia, della filosofia del diritto e della filosofia della storia? Il mondo dello spirito oggettivo e tutti i fatti oggettivi dello spirito assoluto devono forse essere annoverati nella natura? Se questa supposizione è giusta, in questo paragrafo si tratta del fatto che il conoscere soggettivo riconosce la presenza del *logos* divino (« il logico ») nell'intero della realtà oggettiva (nel senso di realtà materiale, spazio-temporale o « naturale ») e questa conoscenza (l'intera filosofia come attività umana) è una rivelazione di Dio. Tutti gli elementi soggettivi dell'arte e della religione, quali intuizione, sentimento e rappresentazione, in cui Hegel scorge forme della conoscenza semplicemente manchevoli, sono tolti nel comprendere scientifico; gli elementi oggettivi dell'intera realtà o « mondo » appartengono alla « natura ». Con questa interpretazione possiamo comprendere meglio il motivo per cui Hegel dice che la scienza « conosce l'idea logica nella natura » (§ 187 agg.) o che la natura « si congiunge con il logico » (§ 576). Ma la filosofia della natura hegeliana non insiste molto spesso sul fatto che l'« esteriorità » materiale della natura *non* può essere affatto uno specchio dell'eterno? Questa tesi era poi anche il motivo per cui la natura, secondo il § 380 ed il § 575, doveva morire e togliersi nello spirito. Se però « natura » nel § 576 sta per tutto ciò che è empirico ed oggettivo, è più facile vedere in essa un tale specchio. In una « natura » che non comprende altro che pietre, piante ed animali, l'assoluto potrebbe manifestarsi solo come un'« idea » molto povera; l'elemento più interessante della sua creazione non sarebbe considerato.

Che la « natura » indichi nel § 576 non semplicemente l'oggetto della filosofia della natura, ma l'intera oggettività del « mondo », è una tesi che può essere corroborata dalle seguenti considerazioni. Nell'aggiunta al § 247 Hegel mette sì in guardia di non confondere il concetto di « mondo » (il quale « è una collezione di elementi spirituali e naturali ») con quello della « natura », ma d'altra parte l'ambiguo termine « mondo », che Hegel impiega ripetutamente per significare l'intero delle cose empiriche [15], viene determinato in certi contesti come « una seconda natura ». Nel § 4 dei *Lineamenti di filosofia del diritto*, per esempio, il sistema del diritto, in quanto « regno della libertà realizzata » e « mondo dello spirito prodotto da se stesso », viene chiamato « una seconda natura » in senso aristotelico. Quando l'eticità viene caratterizzata in quell'opera (§ 142) similmente come « il *concetto della libertà divenuto mondo esistente e natura dell'autocoscienza* », « natura » allude nuovamente al concetto aristotelico, secondo cui l'*ethos*, in quanto principio permanente, è una *Physis* che risulta, rinnovata, dalla cultura. Hegel dice lo stesso anche nell'*Enciclopedia* (A. 430; BC. 513): come compimento dello spirito oggettivo l'eticità è « la *libertà* autocosciente divenuta natura » [16]. La definizione pura-

---

[15] Cfr. per es. *Werke* 12 (Glockner 16), pp. 427-463.

[16] Cfr. anche la *Nachschrift* di Wannenman § 69, in: *Vorlesungen über Naturrecht und Staatswissenschaft,* Heidelberg 1817-18, p. 82: l'eticità è « la libertà divenuta natura ».

mente formale della natura, così come essa viene presentata per esempio nel § 18 e nel § 247, è applicabile altrettanto bene agli aspetti empirici dello spirito: è « l'idea nel suo esser altro », ovvero « l'idea nella forma dell'esser altro » [17]. Intesa nel senso più ampio, essa è sinonimo dell'esistenza che l'idea deve darsi e dell'oggettività, in cui si realizza la soggettività dell'idea (§ 193). Quando il concetto dello spirito è stato definito come « l'idea giunta al suo essere per sé [...], il cui *oggetto* ed il cui *soggetto sono il concetto* » (§ 381), questa definizione era — come già abbiamo sostenuto — una semplice ripresa ad un livello più alto della determinazione del concetto dell'idea assoluta come « unità dell'idea soggettiva e dell'idea oggettiva » (§ 236). Il compimento o la conclusione della filosofia dello spirito deve mostrare che l'idea dello spirito (lo spirito assoluto) comprende se stessa come il conoscere soggettivo, che comprende il suo oggetto come identico a sé. Finché quest'identità perfetta non è ancora raggiunta, cioè finché c'è ancora un'opposizione tra soggetto (« conoscere soggettivo ») ed oggetto (« la natura », in quanto idea alienata), lo spirito che svela (cioè la scienza) è ancora per via.

L'interpretazione qui proposta vede nel secondo modo, in cui il sillogismo assoluto si manifesta, il discorso scientifico, che espone tutti gli elementi oggettivi dell'*Enciclopedia* come manifestazioni del *logos* che in essi si realizza. È la vera onto-teologia, che comprende l'intera realtà come rivelazione di ciò che in sé è razionale. Il κόσμος è la presenza del λόγος per l'ἄνθρωπος. Questo sapere è la vera liberazione,

---

[17] Cfr. anche il seguente appunto di Hegel al § 475: « *Natura* è il mediatore; l'astr[atto] esser altro. Come autotoglientesi [è] fiinitezza — da cui lo spirito si riflette in sé e si pone identico all'elemento logico [...]. *Estr[emi]* dell'*astr[azione]* *finita* sillogismo dall'esser dell'altro all'altro [...] ». Tutto l'essere che non è ancora il concetto che comprende se stesso (cioè è ancora un momento trasparente della ϑεωρία), cade sotto l'esser altro nella sua astrazione dallo spirito assoluto.

poiché consente all'uomo di partecipare all'autoconoscenza divina.

Una ripetizione metafilosofica ed un rifacimento dell'*Enciclopedia* a partire da questa prospettiva potrebbe rielaborare ciò che è apparso in forma di abbozzo. Potrebbe cominciare con il lato empirico (con la natura, non ancora riconosciuta come rivelazione di Dio), svelarlo a poco a poco come espressione fisica del *logos* che tutto domina e terminare in una logica, che svilupperebbe le strutture del *logos*, inteso come la vita immanente dell'essenza razionale di Dio. « Il logico » viene inteso in questa lettura di primo acchito come nome dello spirito assoluto nella forma del *logos* o del « figlio ». Procedendo dal mondo dei fenomeni sensibili, la riflessione si innalza alla loro intima essenza: il mondo sovrasensibile in sé e per sé essente, dell'essenza si rivela come tale, in quanto la riflessione, imitando l'ascesa platonica e neoplatonica, scopre il mondo delle idee a partire dal cosmo.

Non si può sostenere che Hegel ha scritto un testo, in cui questo programma sia esplicitamente realizzato, benché tutti gli elementi necessari ad una realizzazione del genere siano contenuti nell'*Enciclopedia*, e molti elementi siano contenuti nelle altre opere hegeliane, soprattutto nella *Fenomenologia dello spirito*[18]. Nel paragrafo 576 tuttavia non si

[18] A mio avviso il § 576 non rimanda — come intende GERAETS (1985), pp. 83-85 — alla storia della filosofia, ma esso fornisce una caratteristica del « punto di vista dello spirito » raggiunto nella vera scienza (però come pensare riflettente non ancora compiuto). L'espressione « successione del *contenuto* filos[ofico] » (corsivo mio) nell'appunto al § 576 citato da Geraets (p. 85) mi sembra accennare non ad una successione storica di sistemi, metodi, forme (e contenuti?), ma piuttosto alla finitezza « naturale », cioè spazio-temporale, del conoscere scientifico che condanna alla « successione » dei diversi pensieri parziali il punto di vista della riflessione, per esempio nello scrivere o leggere un libro. La scienza compiuta è l'eterno conoscere determinato nel § 577. È il comprendere infinito, sovratemporale, il quale possiede ogni verità nel presente di un *nunc* (*stans* e *movens*). Anche i « singoli in-

tratta per Hegel di presentare innanzitutto un programma per ulteriori ricerche e studi ma di produrre una chiarificazione universale nel principio della raggiunta totalità del suo sistema (cfr. §§ 14-18 e §§242-243), in cui il momento logico (e non quello psicologico, morale, estetico e religioso) occupa la posizione centrale: « La scienza si chiude con il comprendere il concetto di se stessa, in quanto concetto della pura idea, per la quale l'idea è » (§ 243).

La ripresa del sistema filosofico, che il § 576 ci impone, consiste nel fatto che singoli pensatori superano l'empirismo della percezione immediata, scoprendo la vita interiore, il volere, il fare ed il conoscere dell'assoluto a partire dalla considerazione dei fenomeni naturali e spirituali. Se è consentito sostenere che il processo di pensiero esposto nel primo sillogismo (§ 575) e realizzato nell'*Enciclopedia* porta al concetto la struttura della prova ontologica dell'esistenza, dell'essenza e della realtà di Dio, allora dobbiamo anche dire che il procedere del secondo sillogismo (§ 576) si orienta verso la struttura dell'argomento cosmologico. Il terzo sillogismo, che è il sillogismo di tutti i sillogismi, deve dimostrare l'identità di tutti i veri processi di pensiero, esponendo le sue strutture come autodifferenziazione di Dio.

Mi sembra che l'unica alternativa possibile, rispetto a questa mia interpretazione dell'espressione « natura », possa consistere solo nella tesi che assuma « la natura » nel senso rigoroso della filosofia della natura, ma intenda il « conoscere soggettivo » come il culmine dell'intero sviluppo dello spirito nella filosofia dello spirito, mentre considera tutti gli elementi oggettivi e materiali della vita spirituale (per esempio i de-

dividui » che l'appunto cita non sono in prima istanza le filosofie del passato, ma sono innanzitutto tutti i singoli pensatori, il cui sapere si distingue dal sapere divino mediante la finitezza della loro riflessione. « Sono singoli individui quelli che si dedicano alla filosofia. La successione del contenuto filos[ofico] appartiene a questa manifestazione » (« Hegel-Studien » 9, 1974, p. 36).

terminismi antropologici, psicologici, sociali ed economici) come momenti presupposti che facilitano il conoscere. Si è già discusso del fatto che il « conoscere soggettivo » non possa essere scambiato con lo spirito soggettivo. La scienza ormai è l'attiva realizzazione delle possibilità spirituali (o « facoltà ») che costituiscono lo spirito soggettivo. Dalla prospettiva della ϑεωρία come fine supremo della vita spirituale tutti i fenomeni tanto naturali quanto sociali, culturali e storici, appaiono come presupposti, che lo spirito pone a se stesso per potersi conoscere *in concreto*. Sebbene la scienza sia praticata da singoli pensatori, essa è possibile solo sulla base del loro collegamento in una comunità storica e con una determinata civilizzazione. In questa interpretazione si deve tener conto di tutti i momenti materiali, spazio-temporali e corporei dello spirito come estremo soggettivo del sillogismo (delineato nel § 576). Tuttavia poi, all'interno di questo estremo, ritorna l'opposizione tra l'aspetto soggettivo (« spirituale ») e quello oggettivo (« naturale ») dello spirito. A livello della riflessione c'è non solo un dualismo di natura (oggettiva) e conoscenza (soggettiva), ma anche tra spirito « oggettivo », materializzato e corporeizzato, e spirito assoluto, il quale si manifesta per la riflessione ancora come uno spirito soggettivo non compiutamente incarnato e solo nel terzo sillogismo si rivela come perfetta identità di soggetto e oggetto.

§ 577:

« Il terzo sillogismo » delineato nell'ultimo paragrafo (§ 577) « è l'idea della filosofia ». Il *concetto* di quest'idea è stato già raggiunto e determinato nei §§ 572-574. I tre sillogismi (§§ 575-577), nei quali l'idea della filosofia si sviluppa per mezzo di un « guardare indietro » al sapere filosofico (§ 573), avevano solo il significato di un'analisi e realizzazione proprio di questa idea. Il sillogismo conclusivo (§ 577), nel quale i sillogismi precedenti (le « manifestazioni » della *stes-*

174

sa idea, tracciate nel § 575 e nel § 576) sono tolti (A. 477), non può perciò essere nient'altro che la nuova determinazione, ma ora più concreta, del sapere filosofico; — una determinazione che, essendo l'ultima, deve cogliere il nocciolo e la totalità dell'intera realtà e del vero sapere il più adeguatamente e completamente possibile. Da questo compito metodico consegue che l'ultima determinazione deve mostrare che e come questo conoscere filosofico comincia da sé — è la sua propria origine o ἀρχή — e raggiunge se stessa come fine assoluto (τέλος). In quanto *principio* e *fine* di se stesso, l'assoluto è anche il centro e la totalità che contiene in sé tutto. Si può mostrare questo, rappresentandolo come il *medio* di un sillogismo onnicomprensivo (*benché la discorsività dei sillogismi non presenti un medio adeguato per l'assoluto*).

Per interpretare correttamente questo sillogismo, si deve essere consapevoli della differenza radicale tra quest'ultimo e le due precedenti « *manifestazioni* ». L'ultimo ed effettivo sillogismo non può dunque essere più esso stesso la manifestazione di un sapere più elevato o più profondo, ma deve esporre la stessa essenza definitiva e suprema, la più originaria (il Dio compiuto, non solo infinito, ma finito e infinito, spirituale e naturale, essenziale ed apparente, interno ed esterno, logico e spirituale). Esso non può dunque rappresentare l'elemento supremo e ultimo come un'essenza contrapposta al mondo fenomenico, poiché l'essenza suprema *è* rivelazione a se stessa (cfr. §§ 383-384); è l'unità comprensiva dell'essenza assoluta (del logico) e delle sue manifestazioni (natura e spirito). « La scienza » (A. 474), ovvero « il logico » (C. 574), *nel cominciamento*, nella sua forma dell'immediatezza, ha in sé il lato della manifestazione. I due « sillogismi » o « manifestazioni » descritti nei paragrafi precedenti si attuano entrambi « nell'idea ». Il terzo sillogismo non è più « *nell'idea* », *ma è l'idea stessa pienamente realizzata*.

175

L'ultimo sillogismo è dunque la totalità di tutta la verità, la quale contiene in sé tutti i possibili sillogismi e tutte le possibili riflessioni. Come tale lo spirito assoluto è la compiuta realizzazione di tutte le « proprietà » dello spirito presentate dai paragrafi introduttivi della filosofia dello spirito (§§ 377-384): libertà, rivelazione di se stesso, supremo adempimento « del comando apollineo »: la compiuta conoscenza di se stesso, « assoluto sapersi », « l'idea che si pensa e la verità che sa » (§ 574). Se però lo spirito al termine del pensare è l'ultimo sillogismo o — come concetto intero — « il medio », per quale motivo poi nei paragrafi conclusivi dell'*Enciclopedia* filosofica *non* viene rappresentato come il medio, ma come un estremo e perfino come un presupposto? L'idea della filosofia stessa si manifesta qui come un sillogismo, che « ha come suo medio *la ragione che si sa*, l'assolutamente universale », mentre lo spirito e la natura, in cui l'idea della filosofia (o la ragione che si sa) « si scinde », appaiono come suoi estremi. Lo schema qui delineato, S-L-N, è però solo parvenza. Infatti lo spirito « presupposto » non è affatto il concetto dello spirito, che all'inizio della filosofia dello spirito è ancora astratto e compiuto alla fine del suo intero sviluppo, e il logico, definito « la ragione che si sa » e « l'assolutamente universale » (§ 577), non è più l'idea « solo pensata » della logica, ma è lo stesso spirito assoluto che sa sé (ovvero « il concetto che si sa ») come il § 477 traduce νόησις νοήσεως, il quale, in quanto il medio originario e compiuto, si scinde nella natura e nello spirito *finito* (che si contrappone alla natura). Lo spirito finito è tanto posto dallo spirito assoluto quanto presupposto, come afferma chiaramente di nuovo il primo paragrafo del capitolo sullo spirito assoluto (§ 553): « Lo spirito soggettivo e lo spirito oggettivo sono da considerare come il cammino, mediante il quale si forma questo lato della realtà o dell'esistenza ».

In quanto nel § 577 Hegel limita lo spirito presupposto (finito) al « processo dell'attività *soggettiva* dell'idea » (dunque al « conoscere *soggettivo* » rappresentato come medio nel § 576), conferma al tempo stesso l'interpretazione menzionata sopra della « natura » citata nel § 576: la divisione dello spirito assoluto non può essere rappresentata come opposizione tra l'(*oggettivo*) oggetto (l'*essere*) della filosofia della natura e l'attività *solo soggettiva* dello spirito (il *pensiero*). Lo *spirito oggettivo* non apparterrebbe in questo caso all'universo filosofico. Ciò che qui Hegel chiama « la natura », deve perciò comprendere certamente l'intero lato oggettivo della realtà. Questo si ricava inoltre anche dalle parole che Hegel ha aggiunto al testo della prima edizione nella terza redazione. In A. 477 il testo dice: « Queste apparenze sono tolte nell'idea della filosofia, la quale ha *la ragione che si sa*, l'assolutamente universale come suo *medio*, il quale si scinde in *spirito* e *natura*; fa di quello il presupposto e di questo l'estremo universale ». Che questa dichiarazione non regga, se si intendono « natura » e « spirito » nel senso comune della filosofia della natura e dello spirito dell'*Enciclopedia*, è cosa espressa dallo stesso Hegel, nella misura in cui nella seconda proposizione di quel testo contraddice l'asserzione or ora citata a proposito dello spirito: « In quanto tale estremo la natura è immediatamente soltanto un qualcosa di posto, così come la spirito [è] in se stesso proprio il fatto di essere non [!] il presupposto, ma la totalità ritornata in sé ». In questo testo vengono contrapposti l'un l'altro due significati di « spirito »: lo *spirito* presupposto e *finito*, che sta di fronte alla natura, e lo spirito onnicomprensivo, che è ritornato a se stesso e si sa, che non è un presupposto, ma è il medio che comincia da se stesso, ovvero fondamento senza fondamento.

Nella terza edizione (§ 577) Hegel ha cercato di eliminare l'ambiguità dei termini « natura » e « spirito » (finito), contenuta ancora in A. 477, spiegando lo « spirito » (finito) come sinonimo del « processo dell'attività *soggettiva dell'idea* » e la « natura » come sinonimo del « processo dell'idea che è *in sé*, oggettivamente » [19]. L'attività soggettiva dell'idea viene ancor più limitata, se la si identifica con il conoscere soggettivo del singolo uomo di scienza (§ 576). Essa comprende infatti anche i momenti soggettivi della collettività degli uomini con la loro cultura e storia. Il concetto della natura, al contrario, viene ampliato, accogliendo in esso anche l'intera oggettività dell'idea (o dello spirito). Questo ampliamento può rendere in qualche modo comprensibile il motivo per cui, nell'ultima proposizione del § 577, Hegel sostituisce l'espressione « la natura » delle proposizioni precedenti con « la natura della cosa » [20].

L'ultima proposizione della prima stesura dell'*Enciclopedia* afferma chiaramente che il sapere raggiunto alla fine è il medio o la totalità ritornata in sé, che emerge nell'universo finito di spirito e natura e vi si rivela, benché al tempo stesso rimanga semplicemente eternamente in se stessa. Nel linguaggio della religione si dice: « Dio in sé » (« la ragione che si sa » o « l'assolutamente universale ») e la sua manifestazione nelle *operationes ad extra* (i due sillogismi, che sono sue « manifestazioni »), costituiscono insieme un'unica realtà: « In questo modo il medio, il concetto che sa, ha come sua realtà semplicemente quelli che sono come momenti del con-

[19] Cfr. l'appunto ad A. 477: « Natura - Sapere sogg[ettivo] - Spirito - [la] filos[ofia] toglie proprio la sua sog[gettività], cioè conosce la scissione della sua idea in questi 2 estremi » (*loc. cit.*, p. 37).

[20] Cfr. anche i luoghi seguenti, dove Hegel collega strettamente alla tradizione aristotelica due significati di φύσις, natura, « *Natur* »: « Anche Aristotele ha riconosciuto già nella natura questo concetto del fine e chiama quest'attività *la natura di una cosa*; la vera considerazione teleologica — e questa è la più elevata — consiste dunque nel considerare la natura come libera nella sua peculiare vitalità » (§ 245 agg.). « L'universale [della natura] è determinato [...] come legge, forza, materia, così certo non lo si vuole lasciar valere come una forma esterna ed un ingrediente soggettivo; si ascrive invece realtà oggettiva alle leggi, le forze sono immanenti, la materia è la vera natura della cosa stessa » (§ 246 agg.).

cetto [cioè lo spirito finito e la natura] ed è inteso come il sapere universale che, nella sua determinatezza, rimane immediatamente presso di sé» (A. 477).

Il sapere universale, in cui l'idea della filosofia si compie, è dunque — e bisogna aspettarselo, se la fine coincide con l'inizio — l'identità della determinatezza compiuta (o mediata) e dell'immediatezza (da cui l'inizio è caratterizzato).

Questa spiegazione è stata presentata anche dallo stesso Hegel, quando uno dei suoi studenti, che nel frattempo era divenuto *Privatdozent*, glielo chiese. In una lettera del 26 marzo 1819 Hermann Hinrichs scrive in rapporto alla conclusione dell'*Enciclopedia* nella sua prima stesura: « ... come si ritiene in generale qui a Heidelberg, Lei avrebbe di proposito composto l'ultimo paragrafo della Sua Enciclopedia in modo oscuro e, come si dice, ambiguo. Più di tutto dà da fare il termine " immediato " nell'ultima riga dell'ultimo paragrafo, al posto del quale alcuni preferirebbero leggere " mediato ". Benché io sia convinto che l'idea è il sapere che rimane immediatamente presso di sé, tuttavia molti credono, poiché lo spirito è presentato nella scienza come la verità della logica e della natura [cfr. il primo sillogismo in A. 475], che l'assoluto si sarebbe compreso solo nella Sua filosofia » (*Briefe*, II, p. 214).

Se l'idea fosse *solo* il sapere che resta immediatamente presso di sé e non fosse *anche* il sapere compiutamente sviluppato e determinato, cioè *mediato*, l'intera filosofia si risolverebbe in una pura logica. Se l'idea non restasse *anche immediatamente* presso di sé, non potrebbe ritornare in se stessa e sarebbe impossibile il circolo dell'identità assoluta, sarebbe dunque impossibile anche una legittimazione definitiva. Il frammento conservatoci di un abbozzo di una lettera ci fornisce su ciò questa risposta: « ... trovavano e invece di " immediato " credevano di dover leggere " mediato "; ma la mediazione è presente nell'espressione " determinatezza ", che non è nient'altro che questo » (*Briefe*, II, p. 215).

Il frammento ci fornisce però anche una seconda indicazione per l'interpretazione del sapere assoluto, in quanto Hegel istituisce una distinzione tra l'idea della filosofia, intesa come un'idea che costituisce l'essenza ed il concetto di *ogni* autentica filosofia, e l'elaborazione individuale di quest'idea mediante il « conoscere soggettivo » (cfr. § 576) di un filosofo *particolare*, che non può rinnegare le sue particolarità e certamente può commettere degli errori: « Ci sarebbe molto da dire su ciò che riguarda il resto, cioè che se ne ricavi l'immagine che l'assoluto si sia compreso solo nella mia filosofia; però, in poche parole, se si parla della filosofia come tale, non si può parlare della *mia* filosofia, ma in generale ogni filosofia è comprensione dell'assoluto — non si tratta quindi della comprensione di un qualcosa di estraneo, e la comprensione dell'assoluto è perciò certamente un suo autocomprendersi, come la teologia — quando era sicuramente più teologia di quanto non lo sia ora — ha finora asserito sempre la stessa cosa. Ma non è certamente possibile impedire a questo proposito fraintendimenti, determinati dal fatto di non poter prescindere dalla propria, particolare persona — la propria e quella degli altri » (*Briefe*, II, p. 215-216).

L'opposizione contenuta parimenti nel § 574 e nel § 577 tra il comprendersi dell'assoluto stesso, che nel § 577 viene definito « la ragione che si sa » o « l'assolutamente universale » da un lato, e il « conoscere soggettivo » (§ 576) dei singoli filosofi dall'altro, non rinvia come tale immediatamente alle particolarità biografiche di determinati individui storici, poiché ciò che là è in questione è l'elemento soggettivo della scienza in generale. In questi paragrafi si dice però chiaramente, come nel frammento della lettera, che l'universale che si sa non può mai esaurirsi in una filosofia determinata e quindi finita. Questo però non esclude affatto che una filosofia determinata, per esempio quella di Eraclito o quella di Hegel, possa essere una manifestazione vera, adeguata e completa, dell'assoluto che si sa.

Abbiamo considerato la prima metà di A. 477 e C. 577 come un sillogismo, in cui lo spirito assoluto si conosce come il più elevato concretarsi dell'idea assoluta, nel concretarsi dell'idea soggettiva (il conoscere soggettivo, ovvero lo spirito in quanto è soggetto) e nel concretarsi dell'idea oggettiva (la « natura » oggettiva). Il concetto dell'idea assoluta (§ 236) si è sviluppato dunque all'idea dell'idea o all'idea dello spirito (idea dell'idea dell'idea). L'autoconcetto dell'assoluto è costituito da un momento oggettivo (dal mondo dei fenomeni naturali, culturali e storici) e da un momento soggettivo (dalla scienza filosofica, in cui sono superate le forme estetiche e religiose della conoscenza). L'assoluto (« Dio ») si realizza e si rivela nel fatto storico della filosofia, ma non meno nell'universo di tutto ciò che esiste. Il pensare filosofico conduce necessariamente all'autoconoscenza trinitaria dell'assoluto, ma non può appagarsene: una giusta comprensione del sapere assoluto porta a comprendere la sua necessaria oggettivazione o « naturalizzarsi ».

Lo schema del paragrafo 577 sarebbe dunque: S (spirito soggettivo e finito) — S (spirito assoluto ed infinito) — « natura » (oggettiva e finita). È evidente tuttavia che i due sillogismi precedenti, i quali possono essere schematizzati rispettivamente come L-N-S e N-S-L, impongono al terzo sillogismo, in cui sono « tolti » (A. 477), lo schema S-L-N. Si è già discusso del fatto che in questo caso S può essere il simbolo di una figura dello spirito solo finita ed inadeguata. Come si può giustificare il « raddoppiamento » dello spirito e l'« assenza » del « logico » nello schema che io sostengo?

Il logico non viene affatto omesso, ma solo realizzato, sostituendolo con il sapere assoluto. Nel § 574 si è già constatato che il logico, cioè il *logos* o l'elemento razionale, che poteva svilupparsi nella logica solo secondo la sua immediatezza, astratta (in quanto « Dio in sé » e « prima della creazione del mondo »), alla fine della filosofia reale coincide con lo spirito concreto. « Il logico » ha ricevuto ora « il significato di essere l'universalità convalidata nel contenuto concreto come nella sua realtà » (§ 574). Giacché ora il logico non è più un semplice inizio, ma *il risultato della scienza*, è equivalente all'« elemento spirituale (§ 574: in quanto « la scienza » è « ritornata nel suo inizio », « il logico » è « il suo risultato come lo spirituale »). Il logico non può dunque più essere contrapposto come forma universale o universalità formale al contenuto della filosofia reale, poiché forma e contenuto sono perfettamente identici nel sapere assoluto. Si dice perciò che « il logico » e « lo spirito » sono, *a questo livello* esattamente *la stessa cosa*. La prima espressione forse insiste soltanto di più sulla « proprietà » della razionalità.

Nel § 575 e nel § 576 dunque « il logico » non compare ancora come un altro nome per designare lo spirito, che si è finalmente compreso come « la ragione che si sa », perché là è stato opposto come un estremo allo spirito (finito) ed alla natura. Solo nel § 577 riceve la posizione che conviene all'idea concreta, identica allo spirito assoluto: come medio del sillogismo che toglie tutti i sillogismi è il compimento che è ritornato nel cominciamento e che è al tempo stesso la totalità dei tre termini.

Ci sono diversi motivi, per cui negli ultimi quattro paragrafi Hegel insiste tanto su « il logico ». Nel § 574 viene identificato con lo stesso spirito assoluto; nel § 575 appare come « fondamento » e « punto di partenza » della prima manifestazione dell'assoluto; il § 576 indica che è il segreto della « natura » e il § 577 mostra che il logico, inteso come il medio che tiene unite in sé la realizzazione soggettiva ed oggettiva dell'idea ed è perciò assoluto, è la compiuta autoconoscenza dell'assoluto, oltre la quale non si può procedere.

Il primo motivo per insistere sul logico è dato dal fatto che Hegel può mostrare mediante ciò che l'*Enciclopedia* comprende effettivamente l'*intero* della filosofia. In quanto la fine e l'inizio coincidono, il circolo è chiuso ed il sistema è compiuto (cfr. §§ 15-18).

Il secondo motivo consiste nel fatto che Hegel non si stanca di sostenere, contro molti credenti e teologi del suo tempo, che la verità è razionale e che si rivela solo alla ragione (cioè *in quanto logica*). Invece di immagini religiose, sentimenti, narrazioni ed altre rappresentazioni, l'elemento in cui l'assoluto innalza sé e l'uomo alla vera libertà è il pensiero, il concetto che si comprende o « la ragione che si sa ». Il mistero più profondo di Dio non è dato dal fatto che ama gli uomini, ma dal fatto che pensa, cioè è *logos* o « logico ». La vera « comunità » dello spirito vero (§ 554) è l'insieme di tutti gli scienziati filosofi ed il loro culto si celebra nel *Temple de la Raison*.

Con il terzo sillogismo, che toglie in sé gli altri due, l'*apparire* dell'idea del sapere assoluto è ritornata *nell'idea stessa*. Come « l'elemento logico » questa idea è al tempo stesso l'*essenza*, che si scinde nei primi due sillogismi intesi come « manifestazioni » dell'idea ed in essi si manifesta. In quanto tale, essa è inoltre il medio onnicomprensivo del terzo sillogismo, il quale può essere considerato come l'*identità di essenza ed apparenza*, cioè come l'esistenza definitiva o la realtà dell'idea assoluta. Se la scienza riconosce che tutta la conoscenza e tutti i fenomeni non sono altro che manifestazioni di « Dio », — se da un lato essa comprende il mondo come realizzazione dello spirito assoluto e la creazione come « creazione [...] del suo [proprio] essere », in cui esso si dà l'*affermazione* e la *verità* della sua libertà (§ 384) e, dall'altro lato, se essa comprende che il « conoscere soggettivo » (§ 576) è la singolarizzazione attraverso soggetti umani del sapere infinito, mediante cui « l'assolutamente universale » (§ 577) riconosce se stesso —, allora il concetto dello spirito è compiutamente realizzato ed ha raggiunto l'orizzonte totale, non più superabile. Il terzo sillogismo è « l'autogiudizio dell'idea [dell'infinito sapersi] » nelle due manifestazioni, che possono essere simbolizzate dalle formule L-N-S (§ 575) e N-S-L (§ 576). Se il terzo sillogismo viene rappresentato mediante lo schema S-L-N, non si deve però leggere questa formula come il termine prossimo di un *progressus in infinitum* (come se si potesse semplicemente prolungare L-N-S e N-S-L, che si lasciano mettere insieme come L-N-S-L, in (L-N-)S-L-N e poi in (L-N-S-)L-N-S ecc.), bensì come la formula riassuntiva che spinge l'uno nell'altro i primi due, abbassandoli a manifestazioni di se stessa: la posizione raddoppiata che il logico possiede, come punto di partenza e risultato nel sapere *apparente* (quale può essere simboleggiato come L-N--S-L), viene « unificata » nel sillogismo conclusivo che mostra il logico realizzato o concreto come il medio o il concetto di tutti i concetti.

Come unificazione dell'idea che si sviluppa oggettivamente da un lato e della (soggettiva) « attività del conoscere » dall'altro, il logico è il processo dello spirito, che si sa come l'unità dell'idea realizzata tanto soggettivamente quanto oggettivamente. Nell'idea oggettiva, chiamata ora anche « la natura della cosa », noi riconosciamo di nuovo la « natura » dei tre sillogismi; l'« attività del conoscere » è la realizzazione dell'idea soggettiva.

Il *logos* spirituale o lo spirito logico appare ora dunque come la realizzazione adeguata dell'« idea assoluta », il cui concetto viene determinato alla fine della logica come l'« unità dell'idea soggettiva ed oggettiva » (§ 236). Soltanto ora la determinazione dell'idea sviluppata là ottiene il suo pieno significato, poiché il pensare che caratterizza la logica si è innalzato, alla fine della filosofia dello spirito, al conoscere adeguato, cioè al sapere. Se si sostituisce « pensare » con « sapere » e si intende « logico » nel senso del paragrafo 574, la proposizione con cui la fine della logica contrassegna l'idea assoluta può essere letta come una proposizione sullo spirito assoluto: « Quest'unità [dell'idea soggettiva ed oggettiva] è quindi la *verità assoluta e totale*, l'idea che pensa se stessa, ed è qui precisamente *come* idea pensante, *logica* » (§ 236).

Se è vero che i paragrafi 575-577 espongono l'opposi-

184

zione di *natura* (come « processo dell'idea che è in sé oggettivamente ») (§ 577) e *spirito* (il quale nel § 576 viene paragonato ad un « conoscere puramente soggettivo » e nel § 577 « al processo dell'attività soggettiva dell'idea ») come un'opposizione di necessità e di libertà (ancora finita) (§ 575) e dell'essere oggettivo e soggettivo dell'idea concreta dello spirito assoluto, allora il parallelo tra la fine della logica e la fine della filosofia dello spirito è evidente. La distinzione consiste solo nella verifica o « convalida » dell'« universalità » raggiunta nella logica (cfr. § 574). Il mistero supremo o il cuore dell'assoluto è la ragione (il razionale), ovvero il logico; e la realizzazione del logico è la *visio beatifica* dell'« idea eterna che è in sé e per sé », la quale « eternamente come spirito assoluto si attua, si produce e gode se stessa ». La suprema *energeia* o « attuosità » è la metastorica *causa sui*, la quale (in quanto padre, che è il suo proprio figlio o λόγος) si produce anche in forme finite e si riconosce (nello *spirito*, che essa è) come intero finito-infinito. La θεωρία, che comprende se stessa compiutamente, non è solo la suprema verità e libertà, ma anche il supremo godimento [21].

[21] Nei confronti dell'interpretazione di GERAETS (1985) vorrei muovere le seguenti osservazioni:

1) non vedo un'oggettiva contraddizione tra A. 474-477 e C. 574-577.

a) Geraets (p. 87) accentua la differenza tra i termini « superato » (aufgehoben) in A. 474 e 477 ed « elevato » (erhoben) in C. 474. Di fatto non c'è però alcuna distinzione, *in primo luogo* perché i soggetti di questi due predicati nelle due redazioni sono diversi (C. 574: « Il logico [...] si è elevato [*erhoben*] »; A. 474: « la *presupposizione* [...] ed il lato dell'*apparenza* [...] sono superati [*aufgehoben*] »; A. 477: « Queste apparenze sono superate [*aufgehoben*] nell'idea della filosofia ») e *in secondo luogo* perché l'« unificazione » che deriva dal « giudicarsi dell'idea nelle sue apparenze » (577), può essere concepita anche come un *superamento* (*Aufhebung*) delle due apparenze.

b) Benché l'ultima frase di C. 577 sia più estesa dell'ultima frase di A. 477, la determinazione dello spirito assoluto presentata in A. 477 si addice anche al suo « eterno movimento » messo in evidenza nel § 577:

Al termine della nostra interpretazione dei paragrafi 574-577 (A. 475-477) possiamo riassumerne la struttura, presentando gli schemi logici, da cui viene dominato lo svolgersi

come « ragione che si sa » e « idea essente in sé e per sé » (C. 577), lo spirito assoluto è « il sapere universale che rimane immediatamente presso di sé nella sua determinazione » (A. 477). L'annotazione (§ 215 ann.) citata da Geraets per mostrare che qui *non* si tratta di un'unità che riposa sull'autosufficienza dello spirito assoluto (« una ... unità fondata sull'autosufficienza », p. 88) non è diretta contro il pensiero secondo cui lo spirito è uno, autarchico o *a sé* (in sé e per sé), ma contro la concezione unilaterale secondo cui l'idea (o lo spirito) è un *essere* semplicemente *oggettivo* e *quieto*. Hegel sottolinea qui il carattere di *processo* o di movimento dell'idea, mettendo in rilievo il conoscere soggettivo (cfr. C. 576 e 577) come momento dominante (cfr. anche il passo menzionato sopra dalla logica, dove si legge che lo spirito ha bisogno delle scienze particolari per conoscere se stesso). Geraets (pp. 88-89) accentua giustamente il fatto che il testo di C. 577 contrassegna molto esplicitamente come un movimento eterno sia lo spirito (finito) sia anche la natura in quanto processo e la « ragione che si sa » che li unifica. Questa accentuazione però non contraddice l'« immediato rimanere presso di sé » del sapere, che costituisce l'ultima parola di A. 477, poiché il movimento eterno dell'assoluto non deve essere considerato — come pensa Geraets (p. 93) — come un processo infinito o un processo nel tempo (« senza mai fermare la storia »), ma deve essere letto nel senso del *Timeo* (37 d) e del brano tratto dalla *Metafisica* di Aristotele (XII, 7, 1172 b 18-30) che Hegel cita come conclusione, e precisamente come un circolo sovratemporale che gira su di sé (cfr. *Die Geschichte der Philosophie, Werke* XIV, p. 262 e le aggiunte al § 247 e al § 258). L'eternità viene determinata nell'aggiunta al § 247 in quanto « non prima o dopo il tempo », ma in quanto « presente assoluto », mentre la filosofia viene designata come « comprendere atemporale ». Nell'aggiunta al § 258 leggiamo: « L'idea, lo spirito, è oltre il tempo [...] cioè eterna, in sé e per sé, non viene dilacerata nel tempo, poiché non si perde in un lato del processo » (cfr. anche V. HÖSLE, 1984, pp. 83-84), Che nel § 577 Hegel sottolinei ancora il movimento ha forse un fondamento nel voler escludere il pensiero dell'*immobilità* dell'assoluto, che compare nella citazione seguente di Aristotele (nelle righe 32 sgg. non più citate da Hegel l'assoluto viene detto immobile, ἀκίνητον). La determinazione dell'idea come processo (§ 215) è particolarmente adeguata per lo spirito, che dopo il § 477 ha raggiunto la del *concetto* del sapere assoluto (§ 574) all'*idea* di questo sapere (§ 577). Com'era da aspettarsi, quelle di cui Hegel si serve per caratterizzare la totalità suprema, sono soprat-

libertà suprema nel permanente essere presso di sé: è «l'identità assoluta e libera del concetto», identità che è al tempo stesso «la negatività assoluta e perciò è dialettica. È il percorso secondo cui il concetto, in quanto universalità che è singolarità, si determina come oggettività e come opposizione contro la medesima e quest'esteriorità, che ha a sua sostanza il concetto, mediante la sua dialettica immanente si riconduce alla *soggettività*». Si deve solo aggiungere che lo spirito è l'idea compiutamente concreta, cioè reale e pensantesi, e invece di «oggettività» ed «esteriorità» bisogna leggere «natura» per intendere questa determinazione come sinonimo delle ultime frasi di A. 477 e B. 577.

c) Geraets vede (p. 89) una distinzione tra le due stesure degli ultimi paragrafi, non trovando «il giudicarsi dell'idea nelle due apparenze» (§ 577) in A. 477. Il pensiero mi sembra tuttavia contenuto palesemente in A. 475-476 e nella prima parte della frase di A. 477: «Queste apparenze sono tolte nell'idea della filosofia».

2) In che modo e perché Geraets (pp. 83-84 e 92-93) introduce la storia della filosofia in C. 576 (che tratta dello spirito in quanto conoscere soggettivo) a mio avviso non è comprensibile dal contesto. Se la mia interpretazione di «natura» è corretta, l'oggettività dell'intero spirito — e dunque anche «il capitale» (Geraets, p. 83) del patrimonio filosofico che consiste di testi — appartiene alla «natura», sulla quale lo spirito riflette per mezzo di soggetti finiti. Sotto questo riguardo la storia della filosofia appartiene anche alle scienze particolari mediante cui lo spirito assoluto sviluppa il suo pensare infinito. La logica che è intesa nei §§ 576-577 non può essere una semplice «logica della storia della filosofia» (pp. 92-93), se è vero che la fine dell'*Enciclopedia* deve mostrare come la logica *in generale* «si è convalidata».

3) Geraets cita giustamente (pp. 89-91) l'aggiunta al § 236, dove l'idea assoluta viene designata come sintesi di vita e conoscere e dunque come νόησις νοήσεως. Risulta anche da questo testo che lo spirito assoluto altro non è che l'idea concreta, cioè l'idea in quanto si realizza compiutamente e si comprende. In questo senso ha ragione B. Bourgeois nella sua *Présentation* dell'*Encyclopédie*, quando determina lo spirito come «idea dell'idea». Se per idea (o per «idea assoluta») intendiamo la categoria suprema e riassuntiva della logica, allora la logica ha sviluppato il *concetto dell'idea*; il concetto *astratto* dello spirito (appartenente all'inizio della filosofia dello spirito, §§ 381-384) è

tutto le categorie principali della logica del concetto e della logica nel suo complesso, come si vede dalla tavola a pagina seguente.

allora l'idea realizzata (nel principio), dunque l'unità (astratta) del concetto dell'idea e della sua esistenza o l'idea (ancora astratta) dell'idea. Lo spirito assoluto però è il concetto compiutamente realizzato dello spirito — e cioè anche il concetto completamente rivelato e conoscentesi — o l'idea pienamente concreta dell'idea. A mio avviso non c'è nel testo hegeliano alcun indizio a favore della tesi che Geraets difende con alcuni altri interpreti, secondo cui « la profonda originalità dell'assoluto hegeliano » consiste proprio nel fatto che esso è contrassegnato da un incessante « movimento di realizzazione » (p. 91). Certo Hegel non ha inteso dire che la storia cesserebbe o che consisterebbe solo di ripetizioni di ciò che è stato raggiunto al suo tempo, ma egli non ha mai ammesso la relatività delle sue tesi principali. Dove Hegel dice che singole analisi o deduzioni potrebbero essere esposte meglio, o che la sua filosofia abbisogna ancora di molte correzioni, ciò non significa ancora che egli aderisca ad una fondamentale relativizzazione della verità a causa della sua storicità. Se cerchiamo di leggere una storicizzazione del genere nella sua filosofia ed in particolare nella sua *Enciclopedia*, cadiamo a mio avviso in un anacronismo.

4) L'interpretazione di Geraets (pp. 90-94) sottolinea la frattura tra il sapere infinito ed assoluto (cosa che è possibile in sé) e la *nostra* incapacità di possedere mai questo sapere. Le caratteristiche dello spirito *finito*, che egli cita dal § 441, dimostrano in effetti che nessuno spirito *finito* può, in quanto tale, comprendere la verità assoluta. Tuttavia Hegel è convinto — e francamente questo mi sembra essere il suo desiderio principale — che noi, spiriti finiti, partecipiamo all'essere infinito, alla vita ed al conoscere dell'eterno e possiamo diventare ad esso identici. Questo è il nucleo della sua ricerca: portare la teologia cristiana dell'incarnazione di Dio e della divinizzazione dell'uomo ai concetti di una θεωρία ispirata dal pensiero greco. Se sotto questo riguardo la fine dell'*Enciclopedia* fosse una conclusione aperta, Hegel avrebbe compiuto proprio l'errore che egli attacca continuamente con il maggior rigore: si sarebbe accontentato di una forma senza contenuto o avrebbe esposto solo un singolo grado del cammino filosofico senza chiedersi che cosa doveva significare per l'intero della verità (cioè per la verità in generale) il significato di questa forma.

« Il logico » (l'idea, il logos, la ragione, l'assoluto) è:

575:	inizio	essere	in sé	essenza	astratto	necessità	concetto	soggetto (idea sogg.)	universale	concetto
576:	fine	riflessione	per sé	apparenza	concreto	libertà	esserci	sogg. ogg. (idea ogg.)	particolare	giudizio
577:	medio	concetto	in sé e per sé	realtà in atto (concetto/idea)			idea	sogg. = ogg. (idea assoluta)	singolare	sillogismo

4. Νόησις Νοήσεως

Nella citazione di Aristotele, con cui chiude la sua *Summa*, Hegel ha voluto leggere l'armonizzarsi di elementi aristotelici, neoplatonici, cristiani e razionalistici che ha luogo nella sua esposizione dell'assoluto. Come commento significativo cito alcune parti della mescolanza hegeliana di traduzione e commento alla *Metafisica* aristotelica (XII, 6-8), così come sono presentate da Michelet nella sua edizione delle *Lezioni sulla storia della filosofia* [22]: « Il punto più alto però è [...] là dove sono unite δύναμις, ἐνέργεια e ἐντελέχεια. La *sostanza assoluta*, l'elemento vero, l'in sé e per sé essente, si determina qui in Aristotele più precisamente in modo tale da essere l'" immoto ", immobile " ed eterno ", ma è al tempo stesso " ciò che muove ", pura " attività ", *actus purus* [...] A ragione gli scolastici hanno considerato ciò come la definizione di Dio: Dio è l'attività pura, è ciò che è in sé e per sé, non ha bisogno di materia alcuna [...]. O, espresso altrimenti: è la sostanza che nella sua possibilità ha anche la realtà, la cui essenza (*potentia*) è attività stessa, dove entrambe non sono separate; in essa la possibilità non è distinta dalla forma, essa è ciò che produce il suo contenuto, le sue determinazioni, se stessa [...]. L'assoluto nella sua quiete è parimenti attività assoluta. Aristotele chiama energia anche l'entelechia; essa ha in sé un τέλος, non è solo attività formale, dove il contenuto viene di solito da qualche parte [...]. " Deve dunque esserci un principio, la cui sostanza deve essere intesa come attività (movimento) "; appartiene ad essa stessa l'attività; così nello spirito l'energia è la sostanza stessa [...].

---

[22] *Werke* XIV, pp. 326-334. Per la comprensione da parte di Hegel delle filosofie precedenti, cfr. l'esposizione riassuntiva di K. Düsing in *Hegel und die Geschichte der Philosophie*, Darmstadt 1983, in particolare pp. 23 e sgg.; per l'interpretazione hegeliana di Aristotele cfr. pp. 97-132.

" La pura attività è prima (πρότερον) della possibilità, non secondo il tempo, ma secondo l'essenza " — questo è un momento subordinato, lontano dall'universale; poiché l'essenza assolutamente prima è " ciò che muovendosi con uguale attività rimane sempre uguale a se stessa " [...].

E dunque da porre come l'essenza e come il vero ciò che si " muove in se stesso, dunque in circolo; e questo è visibile non solo nella ragione pensante, ma anche nel fatto (ἔργῳ) " — cioè è presente, esiste *realiter* nella natura visibile. Questo deriva dalla determinazione dell'essenza assoluta, in quanto attiva, che fa passare nella realtà, in maniera oggettiva [...].

L'immoto che muove — questa è una grande determinazione —; ciò che rimane uguale a se medesimo, l'idea, muove e rimane in rapporto a se stessa. Così egli spiega ciò: " Il suo muovere è determinato nel modo seguente. Muove quello stesso che è desiderato e pensato; questo, ciò che viene desiderato e pensato, è esso stesso immoto ", in quiete. È fine; ma questo contenuto o fine è lo stesso desiderare e pensare; un tale fine si chiama il bello, il bene [...].

" Il " vero " principio è " qui però " il pensare; infatti il pensiero viene mosso solo dal pensato ". Il pensiero ha un oggetto; è l'immoto che muove. Ma questo contenuto è esso stesso un pensato, esso stesso è prodotto del pensiero; è immoto ed è così interamente identico all'attività del pensare. Qui, nel pensiero, è così presente questa identità, che ciò che viene mosso e ciò che muove è la medesima cosa. " Questo pensato però [...] è a se stesso suo proprio elemento ", — il pensiero essente in sé e per sé in quanto posto oggettivamente; " e la sostanza di quest'altro elemento è la prima: la causa prima è semplice [...] ed è la pura attività ". L'οὐσία di questo pensiero è il pensare; questo pensato è dunque la causa assoluta, essa stessa immota, ma identica al pensiero che viene da lui mosso. " La cosa più bella e migliore " (il dovere, ciò che è in sé e per sé essente, lo scopo finale) " è proprio qualcosa del genere ", — un immoto che muove. " Il concetto però mostra che il ciò-in-vista-di-cui appartiene all'immoto " [...]. Quello, il concetto, *principium conoscendi* è anche il motore, *principium essendi*; egli lo esprime come Dio e ne mostra la relazione alla singola coscienza [...].

" Il pensare però, che è puro per se stesso, è un pensare di ciò che è proprio in sé e per sé il più eccellente ", — scopo finale assoluto per se stesso. Questo scopo finale è il pensiero stesso; la teoria è perciò l'elemento più eccellente. " Il pensiero (ὁ νοῦς) pensa però se stesso mediante l'accettazione (μετάληψιν, accoglimento) del pensato (νοητοῦ) " come suo oggetto, così è recettivo: " viene però pensato, in quanto tocca e pensa (νοητὸς γὰρ γίνεται θιγγάνων καὶ νοῶν); in modo tale che il pensiero ed il pensato sono la stessa cosa ", l'oggetto si trasforma in attività, energia.

Il momento principale nella filosofia aristotelica è costituito dal fatto che il pensare e il pensato sono un'unica cosa — che l'oggettivo e il pensare (l'energia) sono una sola e medesima cosa. " Infatti ciò che accoglie il pensato e l'essenza è il pensiero ". Il pensare è il *pensare del pensare*. Aristotele dice del pensare: " agisce, in quanto possiede " (ovvero: il suo possesso è un'unica cosa con la sua attività); " cosicché quello " (l'agire, l'attività) " è più divino di ciò che la ragione pensante (νοῦς) pensa di *avere* di divino " (il νοητόν). Non il pensato è il più eccellente, ma l'energia stessa del pensare. " La speculazione (ἡ θεωρία) è così ciò che vi è di più piacevole " (il più felice, ἥδιστον) " e di migliore " (l'elemento supremo). " Se pertanto Dio è sempre in quello stato di beatitudine in cui noi siamo talvolta (εἰ οὖν οὕτως εὖ ἔχει, ὡς ἡμεῖς ποτὲ, ὁ θεὸς ἀεί) — presente in noi come stato singolo, Dio è quest'eterno pensare stesso —: " è così degno di ammirazione (θαυμαστόν); se è tale ancora di più, — è ancora più degno di ammirazione " [...]. " Così tuttavia egli è là (ἔχει δε ὧδε). Ma in lui è presente anche vita. Infatti l'attività del pensiero è vita" (καὶ ζωὴ δὲ γε ὑπάρχει ἡ γαρ νοῦ ἐνέργεια ζωή). Meglio: infatti la vita del νοῦς è attività. " Ma egli è l'attività (ἐκεῦνος δὲ ἡ ἐνέργεια); l'attività che si dirige su se stessa è la sua vita più eccellente ed eterna (ἀΐδιος). Diciamo però che Dio è una vita eterna e la migliore " [...].

Il pensare è per Aristotele un oggetto come gli altri — un tipo di stato. Egli non dice che esso solo è la verità, che tutto è pensiero; dice invece che è il primo, il più forte, il più onorato. Che il pensiero *sia* in quanto ciò che si relaziona a se stesso, che sia la verità, questo lo diciamo noi. Diciamo inoltre che il pensiero è *tutta* la verità; ma Aristotele non dice così [...]. Aristotele non si esprime come si esprime ora la filosofia; tuttavia è lo stesso modo di vedere quello che costituisce proprio il fondamento. Proprio questa è la filosofia speculativa di Aristotele: considerare ogni cosa pensando e trasformarla in pensieri. Aristotele pensa gli oggetti e in quanto essi sono intesi come pensieri, essi sono nella loro verità; questa è la loro οὐσία. Ciò non significa che gli oggetti della natura siano in quanto si pensano. Gli oggetti sono pensati da me soggettivamente; allora il mio pensiero è anche il concetto della cosa, e questo è la sostanza della cosa. Il concetto non esiste nella natura come pensiero in questa libertà, ma ha carne e sangue; ha però un'anima e questa è il suo concetto [...].

" Il νοῦς è dunque questo: pensare se stesso, poiché esso è il più eccellente (κράτιστον, il più potente) ed è il pensiero, il pensiero di pensiero (καὶ ἔστιν ἡ νόησις, νοήσεως νόησις) " ».

In altro luogo ancora, e cioè alla fine della sua analisi del *De anima*[23] aristotelico, Hegel parafrasa la citazione che ha riprodotto alla fine della terza stesura dell'*Enciclopedia*.

[23] *Werke* XIV, pp. 390-391.

Nonostante le ripetizioni che vi entrano, anche questo testo è da citare qui, poiché riassume in forma concisa l'essenziale degli elementi aristotelici che sono entrati nella filosofia dello spirito di Hegel.

« Ciò che al giorno d'oggi chiamiamo l'unità dell'elemento soggettivo e di quello oggettivo, è qui espresso con la più elevata determinatezza. Il νοῦς è l'attivo, il pensare e l'essere pensato, — quello è il soggettivo, questo l'oggettivo; certo egli li distingue, ma parla altrettanto rigorosamente e decisamente anche della loro identità. Nella nostra lingua l'assoluto e il vero sono solo ciò la cui soggettività ed oggettività sono identiche, un'unica e medesima cosa; questo è contenuto parimenti anche in Aristotele. Il pensare assoluto (egli lo chiama il νοῦς divino), lo spirito nella sua assolutezza, questo pensare è un pensare ciò che è migliore, ciò che è il fine in sé e per sé; proprio questo è il νοῦς che si pensa. Aristotele esprime così questa opposizione, la distinzione nell'attività ed il suo sorgere: il νοῦς pensa se stesso accogliendo il pensiero, ciò che è pensato. Il νοῦς pensa se stesso mediante l'accoglimento del pensabile; questo pensabile diviene dapprima in quanto ciò che tocca e pensa, viene dapprima prodotto in quanto tocca, — è così in primo luogo nel pensare, nell'attività del pensiero. Questa attività è altrettanto una produzione, un tagliar via il pensiero inteso come un oggetto —, qualcosa che per la realtà del pensare è tanto necessario quanto il toccare; la scissione ed il rapporto sono un'unica e medesima cosa, cosicché νοῦς e νοητόν sono la medesima cosa. Infatti ciò che accoglie l'essenza, l'οὐσία, è il νοῦς. Il νοῦς accoglie; ciò che accoglie, è l'οὐσία, il pensiero; il suo accogliere è attività e produce ciò che appare come ciò che viene accolto, — diviene nella misura in cui possiede. Se riteniamo divino il contenuto del pensiero, il contenuto oggettivo, questa è una posizione errata; l'intero dell'agire è piuttosto il divino. La teoria, dice Aristotele, è ciò che vi è di più attivo e felice; questa è l'occupazione con il pensiero, con ciò che è stato accolto dall'attività. Dio è perciò sempre in quello stato di beatitudine in cui noi siamo talvolta [...].

Se il νοῦς venisse compreso solo come capacità, non come attività, l'oggetto [...] sarebbe [...] più eccellente del νοῦς; il pensare ed il pensiero si troverebbero anche in ciò che pensa ciò che vi è di peggiore, — questo avrebbe anche pensieri, sarebbe anche attività del pensare ecc. Ma ciò non è giusto; infatti il νοῦς pensa solo se stesso, perché esso è ciò che vi è di più eccellente. È pensiero di pensiero, è il pensare il pensiero; l'unità dell'elemento soggettivo e di quello oggettivo vi è espressa e questo è il più eccellente. Lo scopo finale assoluto, il νοῦς che pensa se stesso, — questo è il bene; questo è solo presso se stesso, a causa di se stesso.

Questa è la cima suprema della metafisica di Aristotele, ciò che può esserci di più speculativo [...]. Ciò che egli dice a proposito del pensare, è per sé l'assolutamente speculativo e non sta accanto ad altri elementi, per esempio alla sensazione, che è solo δύναμις per il pensare. Più precisamente questo elemento consiste nel fatto che il νοῦς è tutto, che esso è in sé totalità, il vero in generale, — secondo il suo punto di vista il pensiero, e quindi però veramente il pensare in sé e per sé, questa attività che è l'essere per sé e l'essere in sé e per sé, il pensiero di pensiero, che è così determinato in modo astratto, ma che costituisce la natura dello spirito assoluto ».

5. Il compimento della logica nella scienza dello spirito

I limiti di questo commento non consentono un confronto dettagliato tra i paragrafi trattati e la fine della « grande Logica ». A mio avviso però un confronto del genere confermerebbe le linee principali dell'interpretazione suddetta

La logica è « la scienza solo [!] del concetto *divino* » (*G.W.* 12, p. 253); essa « espone [...] l'automovimento dell'idea assoluta solo [!] come la *parola* originaria [il *logos*, il *Verbum* o la *veritas ipsa*] » (p. 237). « L'idea logica è essa stessa [l'idea assoluta] nella sua pura essenza, come è inclusa in semplice identità nel suo concetto e non è ancora entrata nell'*apparire* in una determinatezza della forma » (p. 237). Nella misura in cui « il logico » (*das Logische*) è « un momento dell'idea assoluta », « può essere chiamato anche un suo *modo* » (pp. 236-237). Inteso così, appare come un momento della manifestazione dell'assoluto e può fungere da termine di un sillogismo. Il logico è un modo peculiare, diverso dal modo d'essere della natura e dell'elemento spirituale, proprio perché espone la forma dell'*universalità*: « mentre il modo connota un genere *particolare*, una *determinatezza* della forma, il logico invece connota il modo universale, in cui tutte le maniere particolari sono tolte e racchiuse » (p. 237). Ciò che vi è di particolare nel logico, così come esso viene svolto nella logica, è la struttura universale di ogni realtà. In quanto λόγος realizzato, lo spirito assoluto non è più niente di particolare, ma è il sillogismo assoluto.

Il *metodo* viene esposto nella *Logica* come la forma logica preliminare del sapere spirituale. In quanto « medio » che unifica il « concetto che si sa *soggettivamente* » e l'oggettiva « *sostanzialità* delle *cose* », esso è « *il concetto che sa se stesso*, e che ha come *oggetto* sé in quanto l'assoluto sia soggettivo che oggettivo » e « il puro corrispondere del concetto e della sua realtà » (pp. 238-239).

La relazione tra il metodo logico ed il « sistema della totalità » è parimenti un andare fuori di sé e in sé. L'ulteriore determinazione del cominciamento che va avanti coincide con il suo « fondare che va all'indietro » (p. 257). Mediante questo determinare ulteriore « le singole scienze » rappresentano « una catena », che costituisce un « circolo di circoli ». Ciascuno di essi (per esempio la logica, la filosofia della natura e la filosofia dello spirito finito) ha come suo presupposto (« il *prima* ») un'altra scienza e di nuovo un'altra come suo risultato (« il suo *poi* ») (p. 252). « La cima suprema », a cui la catena conduce, quella che coincide con il circolo di tutti i circoli, è « il più ricco », o « il più concreto ed *il più soggettivo* e ciò che si riprende nella semplice profondità è il potente e soverchiante » (p. 251). La *Logica* afferma, con chiarezza maggiore rispetto all'*Enciclopedia*, che questo sommo, che è al tempo stesso l'intero, è contrassegnato da *soggettività* e *personalità*: « La cima più elevata e appuntita è la *pura personalità* che solo mediante la dialettica assoluta, la quale è la sua natura, *abbraccia* altrettanto *in sé ogni cosa* e la contiene, poiché rende sé ciò che vi è di più libero, — la semplicità che è la prima immediatezza ed universalità » (p. 251). (Nell'*Enciclopedia* Hegel ha evitato l'espressione « personalità », perché si avvicina troppo alla rappresentazione religiosa?).

Alla fine della logica l'idea assoluta comprende e concepisce il suo contenuto, cioè la totalità della sua determinazione logica e si perfeziona quindi a « sistema della scienza ». Come tale però « quest'idea è ancora logica, è racchiusa nel puro pensiero, è solo la scienza del *concetto* divino [...]. Perciò la pura idea del conoscere, essendo racchiusa nella soggettività, è *impulso* a toglierla ». La logica non può dunque costituire fine alcuna; la sua fine è ancora manchevole, finita e bisognosa. Come tale essa è solo un *membro* della catena. « La pura verità [della logica] diviene come risultato ultimo anche l'*inizio di un'altra sfera e scienza* » (pp. 252-253).

In quanto l'idea si aliena nella natura, la logica si trasforma nella scienza che comprende « la relazione tra il conoscere divino [cfr. sopra « solo del *concetto* divino »] e la natura. Il senso globale di questa autoalienazione dell'idea consiste nel fatto che « il concetto » (l'idea, in quanto il concepire se stessa, in cui culmina la logica) si « eleva come esistenza libera che è andata in sé dall'esteriorità » e nella *scienza dello spirito* « porta a compimento la sua liberazione per mezzo di sé » (p. 253). Questa elevazione a sé dalla naturalità si è compiuta nel passaggio dalla filosofia della natura alla filosofia dello spirito. Abbiamo visto tuttavia che anche questo ritorno costituiva di nuovo l'inizio di un lungo cammino dell'autoliberazione mediante l'autoconoscenza. La fine del cammino viene raggiunta solo quando la natura si è trasformata nell'oggettività dello spirito, e la soggettività concreta (e « personalità ») dell'*idea* ha compiutamente compreso la *natura*, il *mondo* ed il suo proprio *sapere* di *natura* e *spirito*. Allora l'idea astratta o « solo logica » (« la parola più originaria » o il « concetto divino ») coincide completamente con l'idea concreta dello spirito conscio di sé, poiché « Dio *e* il mondo » non sono più di « Dio solo ». Il segreto del Dio reale nel mondo è la stessa cosa del segreto del mondo creato ed animato da Dio: esso consiste nell'idea assolutamente concreta, il cui *concetto* è determinato dalla logica in maniera adeguata ed insuperabile. Per questo motivo Hegel può concludere il suo trattato sul logico osservando che la compiuta liberazione, che l'idea consegue « *nella scienza dello spirito* », consiste in ultima analisi nel fatto che il concetto dell'idea « trova il concetto supremo [!] di se stesso nella scienza logica, in quanto il concetto puro liberantesi » (p. 253). Solo alla fine del sistema si mostra che l'inizio era in effetti già l'*intera* opera.

BIBLIOGRAFIA

ANGEHRN E., *Freiheit und System bei Hegel*, Berlin 1977.

DÜSING K., *Das Problem der Subjektivität in Hegels Logik*, Systematische Untersuchungen zum Prinzip des Idealismus und zur Dialektik, Bonn 1976[1], 1984[2].

DÜSING K., *Hegel und die Geschichte der Philosophie*, Darmstadt 1983.

FULDA H. F., *Das Problem einer Einleitung in Hegels Wissenschaft der Logik*, Frankfurt am Main 1965.

GERAETS TH. F., *Les trois lectures philosophiques de l'Encyclopédie ou la réalisation du concept de la philosophie chez Hegel*, « Hegel-Studien » 10 (1975), pp. 231-254.

GERAETS TH. F. (a cura di), *Hegel, L'esprit absolu. The absolute spirit*, Ottawa 1983.

GERAETS TH. F., *Lo spirito assoluto come apertura del sistema hegeliano*, Napoli (Memorie dell'Istituto Italiano per gli Studi Filosofici n. 9) 1985.

HÖSLE V., *Hegels 'Naturphilosophie' und Platons 'Timaios' - ein Strukturvergleich*, « Philosophia Naturalis » 21 (1984), pp. 64-100.

JAESCHKE W., *Absolute Idee - absolute Subjektivität. Zum Problem der Persönlichkeit Gottes in der Logik und in der Religionsphilosophie*, « Z. Ph. Forschung » 35 (1981), pp. 385-416.

SCHNEIDER H., *Hegels Notizen zum absoluten Geist*, « Hegel-Studien » 9 (1974), pp. 9-38.

THEUNISSEN M., *Hegels Lehre vom absoluten Geist als theologisch-politischer Traktat*, Berlin 1970.

FINITO DI STAMPARE NEL MESE DI APRILE MCMLXXXVIII
NELLO STABILIMENTO «ARTE TIPOGRAFICA» S.A.S.
S. BIAGIO DEI LIBRAI - NAPOLI

PUBBLICAZIONI DELL'ISTITUTO ITALIANO
PER GLI STUDI FILOSOFICI

«LA SCUOLA DI PLATONE»

Collezione di testi diretta da Marcello Gigante
Bibliopolis, edizioni di filosofia e scienze

SPEUSIPPO
Frammenti, a cura di Margherita Isnardi Parente.

L'école de Platon.
De Léodamas de Thasos à Philippe d'Oponte, par François Lasserre (In preparazione)

SENOCRATE-ERMODORO
Frammenti, a cura di Margherita Isnardi Parente.

«LA SCUOLA DI EPICURO»

Collezione di testi ercolanesi diretta da Marcello Gigante
Bibliopolis, edizioni di filosofia e scienze

PHILODEMUS
On Methods of Inference, edited by Ph. H. De Lacy and E. A. De Lacy.

POLISTRATO
Sul disprezzo irrazionale delle opinioni popolari, a cura di Giovanni Indelli.

FILODEMO
Il buon re secondo Omero, a cura di Tiziano Dorandi.

PHILODEMUS
Über die Musik IV. Buch, hrsg. von Annemarie J. Neubecker.

«TESTI DI FILOSOFIA ANTICA»

Collana diretta da M. Gigante e G. Pugliese Carratelli
Bibliopolis, edizioni di filosofia e scienze

I *frammenti di Diogene di Enoanda*
A cura di Martin Ferguson Smith. (In preparazione).

PLOTINO
Enneadi. Testo critico e versione italiana, a cura di Vincenzo
Cilento. Vol. I.

«CORPUS REFORMATORUM ITALICORUM»

diretto da Luigi Firpo, Giorgio Spini e John A. Tedeschi
Prismi Editrice Politecnica Napoli

MINO CELSI
In haereticis coercendis - Poems - Correspondence, a cura di Peter G. Bietenholz.

ANTONIO BRUCIOLI
Dialogi, a cura di Aldo Landi.

«OPERE DI G.B. DELLA PORTA»
a cura di Luigi Firpo
(In preparazione)

«OPERE COMPLETE DI GIORDANO BRUNO»
a cura di Luigi Firpo e Eugenio Garin
(In preparazione)

«OPERE COMPLETE DI TOMMASO CAMPANELLA
a cura di Luigi Firpo
(In preparazione)

«L'ILLUMINISMO ITALIANO»

Collana di ristampe anastatiche
Bibliopolis, edizioni di filosofia e scienze

GIUSEPPE MARIA GALANTI
Testamento forense.

GIUSEPPE MARIA GALANTI
Elogio storico del sig. Abate Antonio Genovesi, con una presentazione di Giuseppe Galasso.

SCIPIONE MAFFEI
Consiglio politico.

CARLO ANTONIO PILATI
Di una riforma d'Italia, con una presentazione di Furio Diaz.

GAETANO FILANGIERI
Riflessioni politiche, con una nota critica di Raffaele Ajello. (In collaborazione con l'Istituto Universitario di Magistero «Suor Orsola Benincasa»)

«OPERE COMPLETE
DI FRANCESCO MARIO PAGANO»
(a cura di Luigi Firpo)

Saggi politici. (In preparazione)

«ECONOMISTI MERIDIONALI»

Collana diretta da Luigi De Rosa e Luigi Firpo

ANTONIO GENOVESI
Scritti economici, a cura di Maria Luisa Perna. Napoli, nella sede dell'Istituto.

KONRAD GAISER
Il paragone della caverna. Variazioni da Platone a oggi.

H.J. BIRKNER, H. KIMMERLE, G. MORETTO
Schleiermacher filosofo.

GUIDO OLDRINI
L'Ottocento filosofico napoletano nella letteratura dell'ultimo decennio.

VITTORIO HÖSLE
Il compimento della tragedia nell'opera tarda di Sofocle.

OLOF GIGON
La teoria e i suoi problemi in Platone e Aristotele.

VITTORIO RUSSO
Impero e Stato di diritto. Studio su «Monarchia» ed epistole politiche di Dante.

PIERANGELO SCHIERA
Società, scienza e Stato nel sistema politico tedesco del Secondo Impero. (In preparazione)

VINCENZO VITIELLO
Il quarto sillogismo hegeliano: l'Oggettività. (In preparazione)

«LEZIONI DELLA SCUOLA DI STUDI SUPERIORI IN NAPOLI»

Bibliopolis, edizioni di filosofia e scienze

EUGENIO GARIN
Il ritorno dei filosofi antichi.

KONRAD GAISER
Platone come scrittore filosofico.

XAVIER TILLIETTE,
La mythologie comprise. L'interprétation schellingienne du paganisme.

CHARLES B. SCHMITT
Problemi dell'aristotelismo rinascimentale.

DANIEL P. WALKER
Il concetto di spirito o anima in Henry More e Ralph Cudworth.

CLAUDE TARDITS
Lo spazio come archivio storico.

HANS J. KRÄMER
La nuova immagine di Platone.

HANS-GEORG GADAMER
L'anima alle soglie del pensiero nella filosofia greca. (In preparazione)

MARIO DAL PRA
Linee di una ricerca storico-filosofica sull'empirismo. (In preparazione)

HENRI-JEAN MARTIN
Livre, pouvoirs et société dans la France moderne. (In preparazione)

ADRIAAN PEPERZAK
La filosofia dello spirito di Hegel. (In preparazione)

«SERIE TESTI»

Bibliopolis, edizioni di filosofia e scienze

JOHANN G. HAMANN
Scritti sul linguaggio (1760-1773), a cura di Angelo Pupi.

IMMANUEL KANT
I progressi della metafisica, a cura di Paolo Manganaro.

HERMANN SAMUEL REIMARUS
I frammenti dell'anonimo di Wolfenbüttel pubblicati da G.E. Lessing, a cura di Fausto Parente.

ERNST TROELTSCH
L'essenza del mondo moderno, a cura di Giuseppe Cantillo.

GEORGE BERKELEY
Viaggio in Italia, a cura di Thomas E. Jessop e Mariapaola Fimiani.

LEOPOLD VON RANKE
Le epoche della storia moderna, a cura di Franco Pugliese Carratelli. Introduzione di Fulvio Tessitore.

CARITAT DE CONDORCET
Réflexions et notes sur l'éducation, a cura di Manuela Albertone.

MICHELANGELO FARDELLA
Pensieri scientifici e Lettera antiscolastica, a cura di Salvatore Femiano.

FRIEDRICH D.E. SCHLEIERMACHER
Etica ed ermeneutica. Memorie accademiche, a cura di Giovanni Moretto.

«SERIE STUDI»

Bibliopolis, edizioni di filosofia e scienze

GUSTAVO COSTA
Le antichità germaniche nella cultura italiana da Machiavelli a Vico.

GIOVANNI MORETTO
Etica e storia in Schleiermacher.

BRUNO BIANCO
J.F. Fries. Rassegna storica degli studi (1803-1978).

DOMENICO LOSURDO
Autocensura e compromesso nel pensiero politico di Kant.

FRANCESCO FAGIANI
Nel crepuscolo della probabilità. Ragione ed esperienza nella filosofia sociale di John Locke.

CARLO RICCATI
Processio et explicatio. La doctrine de la création chez Jean Scot et Nicolas de Cues.

ALFONSO INGEGNO
La sommersa nave della religione. Studio sulla polemica anticristiana del Bruno.

MARCO IVALDO
I principi del sapere. La visione trascendentale di J.G. Fichte.

ANTONIO FRANCIONI
Il τόπος della lingua nel pensiero di Platone. (In preparazione)

«HEGELS VORLESUNGEN»

Collana di edizioni critiche dei manoscritti hegeliani
diretta K.H. Ilting

Bibliopolis, edizioni di filosofia e scienze

G.W.F. HEGEL
Religionsphilosophie. Band I. *Die Vorlesung von 1821.*
Herausgegeben von Karl-Heinz Ilting.

G.W.F. HEGEL
Naturphilosophie. Band I. *Die Vorlesung von 1819-20.* In Verbindung mit Karl-Heinz Ilting herausgegeben von Manfred Gies.

«LA FILOSOFIA CLASSICA TEDESCA»

Collana diretta da Claudio Cesa, Luigi Pareyson, Valerio Verra
Prismi Editrice Politecnica Napoli

Hegel interprete di Kant
a cura di Valerio Verra.

J.E. ERDMANN
Compendio di logica e metafisica. Una introduzione alla Scienza della logica di Hegel, a cura di Valerio Verra.

D. HENRICH
La prova ontologica dell'esistenza di Dio. La sua problematica e la sua storia nell'età moderna.

G.A. GABLER
Critica della coscienza. Introduzione alla fenomenologia di Hegel, a cura di Giuseppe Cantillo.

J.G. FICHTE, F.W. SCHELLING
Polemica e carteggio, a cura di Francesco Moiso.

F.W.J. SCHELLING
Filosofia dell'arte, a cura di Luigi Pareyson.

«GIORNALI DI FILOSOFIA»

Collana di ristampe anastatiche
Bibliopolis, edizioni di filosofia e scienze

Giornale Napoletano di Filosofia e Lettere
Diretto da B. Spaventa, F. Fiorentino e V. Imbriani.
Anno I, Napoli 1872. Presentazione di F. Tessitore.

«GIORNALI DEL RISORGIMENTO»

Museo di Letteratura e Filosofia
A cura di Guido Oldrini. (Generoso Procaccini Editore).

Museo di Scienze e Letteratura
a cura di Guido Oldrini. (In preparazione)

Il Nazionale (1848)
con prefazione di Eugenio Garin (In preparazione)

Indici dei periodici napoletani del Risorgimento
con prefazione di Eugenio Garin. (Napoli, nella sede dell'Istituto).

«FILOSOFI ITALIANI»

Generoso Procaccini Editore

OTTAVIO COLECCHI
Quistioni filosofiche, a cura di Fulvio Tessitore.

«ELEA»

Frommann-Holzboog, Stuttgart-Bad Cannstatt

VITTORIO HÖSLE
Wahrheit und Geschichte. Studien zur Struktur der Philosophiegeschichte unter paradigmatischer Analyse der Entwicklung von Parmenides bis Platon.

CHRISTOPH JERMANN
Philosophie und Politik. Untersuchungen zu Struktur und Problematik des platonischen Idealismus.

«SPEKULATION UND ERFAHRUNG»

Frommann-Holzboog, Stuttgart-Bad Cannstatt

MICHAEL JOHN PETRY (a cura di)
Hegel und die Naturwissenschaften.

CHRISTOPH JERMANN (a cura di)
Anspruch und Leistung von Hegels Rechtsphilosophie.

ADRIAAN PEPERZAK
Selbsterkenntnis des Absoluten. Grundlinien der Hegelschen Geistesphilosophie.

«HIPPOCRATICA CIVITAS»

Collana diretta da Giovanni Pugliese Carratelli
Napoli, nella sede dell'Istituto

PAUL OSKAR KRISTELLER
Studi sulla Scuola medica salernitana.

JOLE AGRIMI, CHIARA CRISCIANI
Edocere Medicos. Medicina scolastica nei secc. XIII-XV.

«DOCUMENTI»

Bibliopolis, edizioni di filosofia e scienze

THEODOR STRÄTER
Lettere sulla filosofia italiana, a cura di Antonio Gargano.
Premessa di Giovanni Pugliese Carratelli.

WERNER JAEGER
Autobiografia, a cura di M. Gigante. (In corso di stampa)

«RICERCHE DI STORIA ECONOMICA»

Collana diretta da Luigi De Rosa
Napoli, nella sede dell'Istituto

LUIGI DE MATTEO
*Governo, credito e industria laniera nel Mezzogiorno. Da Murat
alla crisi post-unitaria.*

PAOLA PIERUCCI
Pastorizia e fiscalità in Abruzzo nei secoli XVII e XVIII. (In
corso di stampa)

LUIGI DE MATTEO
*'Holdings' e sviluppo industriale nel Mezzogiorno. Il caso della
Società Industriale Partenopea (1833-1879).*

ROBERTO MANTELLI
*Il pubblico impiego nell'economia del Regno di Napoli: retribu-
zioni, reclutamento e ricambio sociale nell'epoca spagnuola
(secc. XVI-XVII).*

«TESTI E DOCUMENTI DI ECONOMIA ITALIANA»

Collana diretta da Luigi De Rosa
Napoli, nella sede dell'Istituto

PASQUALE SARACENO
Il nuovo meridionalismo.

PAOLO SAVONA
Strutture finanziarie e sviluppo economico.

VOLUMI FUORI COLLANA

— CENTRO INTERNAZIONALE PER LO STUDIO DEI PAPIRI ERCOLA-
NESI, *Catalogo dei Papiri Ercolanesi,* con la direzione di Marcello Gigante. Bibliopolis, edizioni di filosofia e scienze.

— *Catalogo della Biblioteca di Giuseppe Valletta,* a cura di Carlo Romeo. (In preparazione)

— MARCELLO GIGANTE, *Die Herkulanensischen Papyri heute.*
Bibliopolis, edizioni di filosofia e scienze.

— MARCELLO GIGANTE, *I papiri ercolanesi oggi.* Bibliopolis, edizioni di filosofia e scienze.

— DIETER HENRICH, *Sette passi nel cammino da Schelling a Hegel.* Napoli, nella sede dell'Istituto.

— G. W. F. HEGEL, *Prolusione delle lezioni berlinesi* (trad. di Valerio Verra). Napoli, nella sede dell'Istituto.

— *Una lettera di Bertrando Spaventa a Pasquale Villari*, con prefazione di Giovanni Pugliese Carratelli. Napoli, nella sede dell'Istituto.

— PAUL DIBON, *Napoli e la «Repubblica delle Lettere».* Napoli, nella sede dell'Istituto.

— TOMMASO CAMPANELLA, *Poesie filosofiche*, a cura di Luigi Firpo. Prismi Editrice Politecnica Napoli.

— ANTONIO SERRA, *Breve trattato delle cause che possono far abbondare li regni d'oro e argento dove non sono miniere con applicazione al Regno di Napoli.* (Ristampa anastatica dell'edizione Cosenza 1613). Generoso Procaccini Editore.

— SERGIO ROMANO, *Madame Du Deffand e il suo mondo nel libro di Benedetta Craveri.* Napoli, nella sede dell'Istituto.

— SERGIO ROMANO, *Per la conoscenza di Croce in Francia.* Napoli, nella sede dell'Istituto.

— CESARE MUSATTI, *Osservazioni di uno psicologo di fronte allo sviluppo del pensiero scientifico del nostro secolo.* Napoli, nella sede dell'Istituto.

— AA.VV., *Hegels Logik der Philosophie. Religion und Philosophie in der Theorie des absoluten Geistes.* Herausgegeben von Dieter Henrich und Rolf-Peter Horstmann. Veröffentlichungen der Internationalen Hegel-Vereinigung. Band 13, in Zusammenarbeit mit dem Istituto Italiano per gli Studi Filosofici (Arbeiten der Hegeltagen der Internationalen Hegel-Vereinigung in Anacapri und Napoli im Jahre 1983). Klett-Cotta, Stuttgart.

- VLADIMIRO VALERIO, *L'Italia nei manoscritti dell'Officina topografica della Biblioteca Nazionale di Napoli*. Napoli, nella sede dell'Istituto.

- GIAMBATTISTA VICO, *Principios de Ciencia Nueva* (traduzione in lingua spagnola della *Scienza Nuova*, a cura di José M. Bermudo). Ediciones Orbis, Barcellona.

- AA.VV., *New Avenues in Quantum Theory and General Relativity*, edited by E.R. Caianiello. North-Holland, Amsterdam.

- AA.VV., *György Lukács nel centenario della nascita. 1885-1985*, a cura di D. Losurdo, P. Salvucci , L. Sichirollo (in collaborazione con l'Istituto di Scienze Filosofiche e Pedagogiche dell'Università di Urbino). Edizioni Quattroventi, Urbino.

- AA.VV., *Marx e i suoi critici*, a cura di G.M. Cazzaniga, D. Losurdo, L. Sichirollo (in collaborazione col Dipartimento di Filosofia dell'Università di Milano). Edizioni Quattroventi, Urbino.

- AA.VV., *Studi di filosofia preplatonica*, a cura di M. Capasso, F. De Martino, P. Rosati. Bibliopolis, edizioni di filosofia e scienze.

- GIOVANNI PUGLIESE CARRATELLI, *Visita del Presidente della Repubblica Francesco Cossiga alla Città di Napoli. 29-30 novembre 1985*. Napoli, nella sede dell'Istituto.

- MARCELLO GIGANTE, *Per Giovanni Pugliese Carratelli nel settantacinquesimo compleanno*. Bibliopolis, edizioni di filosofia e scienze.

- *Filosofi, Università, Regime. La Scuola di Filosofia di Roma negli anni Trenta*. Catalogo della mostra storico-documentaria a cura di T. Gregory, M. Fattori, N. Siciliani de Cumis. (In collaborazione con l'Università degli Studi di Roma La Sapienza).

- AA.VV., *From revolution to evolution. Dedicated to Alfonso M. Liquori*, a cura di Vittorio Crescenzi. (In collaborazione con l'Università degli Studi di Napoli). Editrice Universitaria di Roma - La Goliardica.

— AA.VV., *Summaries of papers dedicated to Alfonso M. Liquori*, a cura di Vittorio Crescenzi. (In collaborazione con l'Università degli Studi di Napoli). Editrice Universitaria di Roma - La Goliardica.

— GIUSEPPE GABRIELI, *Federico Cesi, Linceo (1585-1630)*, con una premessa di Giuseppe Montalenti. (In collaborazione con l'Accademia Nazionale dei Lincei). Napoli, nella sede dell'Isituto.

— GUIDO D'AGOSTINO, GIOVANNI MUTO, GIUSEPPE DE SIMONE, *La vita economica a Napoli nel '600*. (In collaborazione con la Soprintendenza alle Belle Arti di Napoli e col Circolo «Alessandro Panagulis»). Tempi Moderni edizioni.

— AA.VV., *Moralität und Sittlichkeit. Das Problem Hegels und die Diskursethik*. Herausgegeben von Wolfgang Kuhlmann. Suhrkamp Verlag, Frankfurt a.M.

— *Gli hegeliani di Napoli e la costruzione dello Stato unitario*. Catalogo della mostra documentaria e bibliografica organizzata dalla Biblioteca Nazionale di Napoli e dall'Istituto Italiano per gli Studi Filosofici). Napoli, nella sede dell'Istituto.

— DIEGO DEL RIO, SALVIO ESPOSITO, *Vigliena*. Con introduzione di Rosario Villari e prefazione di Giancarlo Alisio. Napoli, nella sede dell'Istituto.

— ABHAY ASHTEKAR, *Asymptotic Quantization. Based on 1984 Naples Lectures*. Bibliopolis, edizioni di filosofia e scienze.

— AA.VV., *Role of RNA and DNA in Brain Function. A Molecular Biological Approach*. Edited by Antonio Giuditta, Barry B. Kaplan, Claire Zomzely-Neurath. (In collaborazione con il C.N.R. e l'Università di Napoli). Martinus Nijhoff Publishing Co.

— AA.VV., *Topics in the General Theory of Structures*. Edited by E.R. Caianiello and M.A. Aizerman. D. Reidel Publishing Co.

RIVISTE

— «Nouvelles de la République des Lettres». Diretta da Paul Dibon e Tullio Greogry. Prismi Editrice Politecnica Napoli.